D0230133

Les Fleurs sauvages

***

Jade

Virginia C. Andrews™

Les Fleurs sauvages

***

Jade

ÉDITIONS FRANCE LOISIRS

Titre original : *Jade*
Traduit de l'américain par Frédérique Le Boucher

Édition du Club France Loisirs,
avec l'autorisation des Éditions J'ai lu.

Éditions France Loisirs,
123, boulevard de Grenelle, Paris.
www.franceloisirs.com

ISBN : 2-7441-6744-4

Prologue

En dépit de mes nombreuses et fréquentes visites dans son cabinet, je n'avais jamais remarqué l'horloge miniature qui trônait au centre de la dernière étagère, à gauche du bureau du Dr Marlowe. Avec son coffre de merisier et son cadran à chiffres romains, elle n'avait certes rien de très remarquable. Elle ne sonnait pas, ne carillonnait pas, ne marquait l'heure d'aucune façon. Mais le mouvement régulier de son petit pendule avait attiré mon regard et je demeurais figée, hypnotisée par ce balancement obstiné, pendant que les autres attendaient en silence que je voulusse bien commencer.

Les battements de mon cœur semblaient synchronisés avec l'oscillation du petit balancier et j'ai songé : *Et si notre cour n'était qu'une simple horloge décomptant le temps qui nous est imparti ?* Avant même que nous ne soyons nés, par la magie de leur amour, nos parents en auraient remonté le mécanisme. Peut-être la durée de notre vie dépendait-elle de la force avec laquelle ils nous avaient désirés ? Peut-être quelque comportementaliste devrait-il entreprendre une étude comparée sur le sujet : d'un côté, les enfants indésirables, et de l'autre, la bien-aimée progéniture de parfaites petites familles unies ? Aucune, dans cette pièce, ne serait heureuse du résultat, je le crains.

Je sentais les yeux des autres filles fixés sur moi et n'avais nul besoin de les regarder pour deviner ce qu'elles pensaient : mais que venais-je donc faire ici, moi qui semblais tout droit sortie d'une de ces familles idéales, justement ? Qu'avais-je bien pu vivre de si horrible ? Pourquoi aurais-je donc eu besoin d'un psychiatre ?

Oh ! Je comprenais parfaitement pourquoi elles se posaient toutes ces questions. Quoi qu'il arrive, aussi violents que soient les orages qui éclataient entre ma mère et mon père, aussi dévastatrices qu'en soient les conséquences pour moi, je conservais mon calme souverain et mon port de reine. Je savais comment me comporter en toutes circonstances : sang-froid, retenue et assurance à toute épreuve, tel était mon credo. Je suppose que je tiens cela de ma mère — ce qui ne veut pas dire que mon père manque de confiance en lui, bien au contraire. Le fait est que ma mère ne laissera jamais quiconque soupçonner qu'elle pourrait se trouver en position d'infériorité. Même quand elle est dans son tort, elle s'arrange toujours pour que le vainqueur ne puisse jamais être tout à fait certain d'avoir remporté la bataille. Elle ne capitule jamais. Jamais elle ne laissera le désespoir assombrir ses prunelles ; jamais elle ne courbera le dos sous les coups de l'adversaire ; jamais elle ne baissera la tête dans la défaite.

Mère se met en colère, mais Mère ne perd jamais son self-control. La maîtrise est au cœur même de son système vital : son essence. Mon père veut d'ailleurs me faire croire que c'est cette volonté obsessionnelle de toujours tout maîtriser qui est à l'origine de ce qu'il appelle leur « apocalypse conjugale ».

Il a probablement raison — quant à sa façon de voir les choses, du moins. En un sens, c'est effectivement la fin du monde ;

de mon monde, en tout cas ; d'un monde que j'ai été assez naïve pour croire, si ce n'est éternel, du moins aussi immuable que le balancement du pendule dans la poitrine de mes parents, et tout aussi durable. Je les croyais si épris qu'à mes yeux le pendule de l'un ne pouvait s'arrêter sans que celui de l'autre n'en fasse autant, à très brève échéance.

Ce qui, bien entendu, ne pourrait survenir que dans un futur très très lointain ; pas avant que je ne fusse moi-même parvenue au seuil de la sénilité, assurément. Notre monde était si préservé que je m'imaginais vivre à l'intérieur d'une grosse bulle qui nous protégeait de tout : accident grave, maladie mortelle, crime, malheur, etc. Je quittais une luxueuse propriété de Beverly Hills pour monter dans une limousine capitonnée et me rendre dans une école privée aux couloirs immaculés et aux bureaux flambant neufs. Je n'étais sortie du cocon maternel que pour entrer dans un autre cocon tout aussi sûr et douillet, de sorte que je n'eusse jamais ni trop chaud ni trop froid.

Dans le monde où j'étais née, l'inconfort était purement et simplement inconcevable : une trahison, un manquement inacceptable. Nos chaussures devaient épouser la forme de notre pied ; nos chaussettes, être douces, et nos vêtements, nous seoir à la perfection. Il eût été inimaginable qu'une quelconque étoffe nous irritât la peau. Nos repas devaient être parfaitement cuisinés et toujours servis à la température voulue, tout comme devait l'être notre bain lorsque nous nous y glissions sans une once d'hésitation. Notre lit sentait le frais et nos draps avaient été délicieusement parfumés. Nous nous endormions dans des nuages de soie et refusions aux cauchemars l'accès de nos maisons de rêve. Quand j'étais petite, si d'aventure l'un d'eux franchissait ma porte, à mon premier cri, mon père ou ma mère apparaissait auprès de moi pour l'écraser, comme un insecte qui eût osé poser une patte par trop téméraire sur nos dalles de marbre importées d'Italie.

Je ne me considérais nullement comme une privilégiée et n'imaginais même pas que la chance eût pu avoir pour moi quelque bonté. J'étais née dans le luxe, un luxe que j'avais été amenée à découvrir, comme tout enfant découvre l'univers qui l'entoure, et, très rapidement, à tenir pour acquis et à considérer comme un dû. Je ne détenais aucune explication hautement philosophique pour justifier que j'eusse tant, quand les gens que j'entrevoyais par les vitres de ma limousine avaient si peu. Quelque grand pouvoir immanent en avait décidé ainsi et il ne pouvait en aller autrement. Un point c'est tout.

Évidemment, en grandissant et en entendant ma mère ou mon père parler de tout ce qu'ils avaient accompli dans leur vie, j'avais compris qu'ils avaient gagné et fait fructifier ce que nous avions et que, par conséquent, nous le méritions.

« N'éprouve jamais de honte à posséder plus que ton prochain », me dit un jour ma mère. Le plus souvent, quand elle prononçait ce genre de sentences, j'avais l'impression d'assister à un cours magistral. « Ceux qui n'ont rien n'éprouvent aucune honte à vouloir davantage et, plus précisément, à convoiter ce que tu as. La jalousie engendre toujours le ressentiment. N'accorde ta confiance qu'avec prudence. Nul doute que, derrière les lunettes noires et les sourires artificiels, se cachent des yeux encore plus verts que les tiens. »

Quelle chance d'avoir une mère si avisée ! me disais-je. *Quelle chance d'avoir des parents si éclairés !*

Mais la bulle magique avait éclaté et voici que je me retrouvais entre ces quatre murs, en présence de gens qui ne m'étaient rien et auxquels on me demandait d'accorder une confiance absolue. Nous avions toutes les quatre été conviées à participer à ce que notre psychothérapeute avait appelé une « thérapie de groupe », c'est-à-dire à nous dévoiler dans ce que nous avions de plus intime, de plus personnel, dans l'espoir que nous pourrions, d'une manière ou d'une autre, nous aider mutuellement à comprendre et à accepter ce qui nous était arrivé. Plus nous aurions confiance en nous, plus grandes seraient les chances de succès. Voilà qui exigeait beaucoup de confiance, effectivement ! Confiance en soi, en les autres, en notre psychiatre, en Dieu ou en la Providence : beaucoup trop, à mon goût, en tout cas.

À en croire ce que disait le Dr Marlowe, il était plus important pour elle de gagner notre confiance que de gagner notre argent — l'argent qu'elle recevait en échange de l'aide qu'elle était censée nous apporter pour nous permettre de nous réinsérer.

Nous *réinsérer* ! J'adorais cette expression. Comme si nous étions quelque véhicule en panne qu'elle allait réparer avant de le relancer dans la circulation générale : on recharge, on regonfle, on redresse, on met un petit peu d'huile par-ci et beaucoup de graisse par-là, aux endroits où cela crisse et cela coince et hop ! nous voici reparties pour de nouvelles aventures sur la grande autoroute de la vie !

En voyant ces autres filles pour la première fois, je m'étais bien rendu compte qu'aucune n'était ravie d'être ici. Pas une seule d'entre nous n'était venue de son plein gré. Oh ! je ne veux pas dire par là que l'on avait dû nous y traîner de force, hurlantes et gesticulantes — quoique, à l'entendre, Star aurait sans doute pu être dans ce cas. Toujours est-il que, manifestement, nous aurions toutes donné cher pour être ailleurs. Bien qu'elle n'eût pas encore ouvert la bouche, Cathy, que nous avions surnommée Cat, semblait déjà terrorisée de se retrouver là. De nous quatre, c'était elle la plus tendue. Elle était terrifiée, cela se voyait au premier coup d'œil. Qu'est-ce que ce serait quand son tour arriverait ! Mais peut-être l'angoisse était-elle, chez elle, une seconde nature ? Peut-être avait-elle toujours peur, où qu'elle fût ? Misty, en revanche, semblait, de toutes, la plus à l'aise. Elle remuait cependant un peu trop pour l'être réellement. Les yeux en perpétuel mouvement, elle se trémoussait tant qu'on l'eût crue assise sur une fourmilière.

La veille, Star nous avait raconté son histoire. Elle avait dit, à propos de certains épisodes particulièrement douloureux de sa vie, que, chez elle, « le malheur tombait comme s'il en pleuvait ». Bien qu'elle vienne d'un monde très différent du mien, je comprenais ce qu'elle voulait dire. Nos univers avaient beau sembler aussi opposés qu'on puisse l'être, les gros nuages noirs qui les envahissaient étaient identiques et nous subissions les mêmes averses, torrents de colère et de haine qui nous entraînaient, jusqu'à nous y noyer, dans la folie de nos parents. Leur navire conjugal avait sombré et nous étions toutes des naufragées qu'une main secourable avait hissées sur le même radeau, fragile esquif tanguant et roulant, qui tourbillonnait dans la tourmente, tandis que chacune priait désespérément pour que la tempête s'achève enfin.

Cependant, maintenant que c'était à mon tour de parler, maintenant que j'étais devenue le point de mire, j'avais plutôt la sensation d'avoir été jetée dans la cage aux lions. Au cours des deux jours précédents, j'étais restée à l'extérieur du cercle, observatrice attentive, tout ouïe, au récit de Misty, d'abord, et de Star, ensuite. Pendant ces deux jours, j'avais réussi à garder les autres à distance, à demeurer à l'écart, sur mon quant-à-soi, comme ma mère — peut-être avais-je également hérité de ce besoin de tout contrôler qui la caractérisait, qui sait ? Mais, ce jour-là, c'était à moi de jouer et, tout à coup, je me sentais nue, atrocement consciente de chacune de mes tares, tel quelque spécimen placé sous cloche, sur la paillasse de notre laboratoire de sciences naturelles. *Les larmes sont plus intimes que les sourires,* pensai-je. *Pourquoi partagerais-je les miennes avec ces filles ?*

Mais regardez-les donc ! Misty, avec son petit sourire idiot et son stupide tee-shirt proclamant : « Boycottez le travail des enfants, mettez un terme aux grossesses des adolescentes ! » ; *Star, une fille aux colères aussi noires que sa peau d'ébène, toujours prête à me sauter à la gorge, chaque fois que j'ai le malheur d'ouvrir la bouche, et Cathy, avec son visage insignifiant et ses mines de chatte effarouchée, toujours sur le point d'avaler sa langue, quand, d'aventure, un mot lui échappe et que nous nous tournons brusquement vers elle, effarées que nous sommes de l'entendre seulement proférer un son. Et ce seraient là mes trois confidentes, mes sœurs de miséricorde adoptives ? Vous plaisantez, j'espère !*

Je m'étais interrogée sur le bien-fondé de cette séance toute la nuit, et, quand la limousine s'était garée au pied du perron, quelques instants plus tôt, j'étais restée assise à l'intérieur un long moment, les yeux rivés à la porte d'entrée, à me demander ce que je faisais là. La question demeurait. Je n'allais tout de même pas raconter ma vie privée à ces inconnues pour la simple et unique raison qu'elles venaient, elles aussi, de familles désunies ! Elles étaient pis que des inconnues, pour moi. Elles étaient si éloignées de mon univers qu'elles en devenaient des étrangères, des extraterrestres ! Elles me prendraient juste pour une fille à papa, une gosse de riches pourrie gâtée.

– Je ne peux pas faire une chose pareille, déclarai-je, en secouant la tête, après un long moment de silence chargé d'attente. C'est par trop stupide.

– Oh ! je vois, s'exclama Star. Ça n'était pas stupide pour moi, hier, mais c'est stupide pour toi, aujourd'hui.

– Moi non plus je n'ai pas trouvé ça stupide, s'écria à son tour Misty. C'est vrai, insista-t-elle, en voyant le regard que je lui adressais et qui signifiait clairement : « À d'autres ! »

Cat conserva les yeux baissés, comme à son habitude. J'aurais presque eu envie de ramper jusqu'à elle, puis de rouler sur le dos pour lui dire : « Penses-tu que ce soit stupide de parler de tes problèmes ? Et, quand tu le feras, serons-nous toutes obligées de nous allonger par terre, les quatre fers en l'air, pour avoir une chance d'entendre le son de ta voix ? »

– Hier, tu étais là, tranquillement assise à m'écouter et à faire tes petits commentaires sur ma vie, grommela Star. Ça n'avait pas l'air de te gêner beaucoup.

– Ce n'est pas censé être donnant, donnant. Je n'ai jamais promis que je le ferais. Ce n'est pas parce que, toi, tu l'as fait que je dois me sentir redevable à ton égard.

– Je n'ai jamais dit ça. Parce que tu crois que je meurs d'envie d'entendre ton histoire, peut-être ? Laisse-moi rire !

– Eh bien, c'est parfait. Comme cela, tu n'en sauras rien !

Tout juste si je ne lui tournai pas le dos.

– Il arrive fréquemment que nous nous servions de la colère comme d'un bouclier : pour nous protéger, pour éviter certaines choses déplaisantes, intervint le Dr Marlowe, de sa voix douce et posée, après quelques instants d'un silence pesant. En fait, la colère ne fait que prolonger le supplice de celui qui l'utilise et ne nous rend donc les choses que plus difficiles encore.

– *Nous* ? lui lançai-je, ulcérée. *Nous* !

– Je suis un être humain. Je ne suis donc pas parfaite. C'est pourquoi je dis *nous*. Je comprends ces choses à travers ma propre expérience, qui m'aide à vous aider, me répondit-elle. N'oubliez pas que je suis, moi aussi, passée par là. Je sais combien c'est pénible, mais cela peut nous être d'un grand secours.

– Je ne vois pas en quoi parler de moi peut m'aider. Te sens-tu mieux depuis que tu nous as raconté ton histoire ? demandai-je à Misty.

Elle haussa les épaules.

– Je ne sais pas si je me sens mieux. J'ai quand même eu l'impression de me décharger d'un poids, pourtant, oui, dit-elle, d'un ton pensif, en inclinant la tête, comme si elle s'absorbait dans de profondes réflexions. Peut-être que je me sens mieux, tout compte fait. Et toi, Star ?

– Elle s'en fiche de ce que je ressens, répondit l'intéressée, en détournant la tête avec dégoût. Elle cherche juste à se défiler.

– Pardon ? rétorquai-je aussitôt. À me *défiler* ? Et de quoi me *défilerais*-je ?

– Il s'agit là d'une méthode thérapeutique, intervint le Dr Marlowe, en haussant légèrement le ton. Une méthode fondée sur la confiance mutuelle. Je l'ai déjà dit et répété. Tu dois essayer, Jade.

Sans doute as-tu entendu, au cours de ces deux derniers jours, des choses qui t'ont aidée à visualiser différemment, si ce n'est mieux, ta propre situation. À tout prendre, tu sais au moins que tu n'es pas seule.

– Ah non ? m'écriai-je. Pas seule ?

Je dévisageai Misty un instant.

– Il y a une chose que tu as dite, pendant ta séance, qui m'a beaucoup plu : j'ai bien aimé ton idée de club des orphelins avec parents. Croyez-moi, docteur Marlowe, poursuivis-je, en me retournant vers notre thérapeute, nous sommes bel et bien seules.

– Le COAP ! Faisons imprimer un tee-shirt ! s'écria Misty, en bondissant, comme si elle était montée sur ressorts.

– C'est ça, créons-le pour de vrai. On refusera du monde ! maugréa Star. Ou formons un nouveau gang et mettons une Beverly à notre tête.

– Une « Beverly » ?

Je levai les yeux au ciel. *C'est ridicule. Je n'aurais jamais dû accepter de me prêter à cette mascarade,* pensai-je.

– Restons-en là, dis-je, au comble de l'exaspération.

– C'est dur de commencer, hein ? railla Misty.

– C'est simplement que ma situation est très différente de la vôtre, ripostai-je.

– Ben voyons ! fit-elle avec une moue qui retroussa son petit nez mutin. Tu es spéciale, toi. Pas nous.

– Écoute, tu nous as parlé de ton père qui vous avait quittées, ta mère et toi, pour s'installer dans un nouvel appartement avec sa petite amie, c'est bien cela ?

– Et alors ?

Je me tournai vers Star.

– Et toi, tu nous as parlé de tes parents qui vous avaient abandonnés, ton petit frère et toi, de sorte que, maintenant, vous viviez chez ta grand-mère, nous sommes d'accord ?

– Comme elle a dit : et alors ?

– Alors, ma situation n'a absolument rien de comparable. Mes parents se sont battus bec et ongles pour moi. Et ils se battent encore pour me garder. Aucun des deux ne cédera à l'autre. Vous ne pouvez pas savoir ce que c'est. Je me sens… Je me sens tiraillée, écartelée, persécutée par les avocats, les psychologues et les juges !

Je n'avais pas eu l'intention de crier,

mais c'était pourtant ce que j'avais fait. Les larmes commençaient à me brouiller la vue et ma gorge se serrait pour tenter de les retenir. Je n'allais tout de même pas pleurer devant elles, non !

Star se tourna vers moi avec curiosité ; Cat leva lentement les yeux et Misty hocha la tête, une lueur d'intérêt dans les prunelles. Elles avaient toutes l'air fascinées, tout à coup.

Je respirai profondément. Comment leur faire comprendre ? Je n'essayais nullement de les snober !

J'ai recommencé à parler, lentement, le regard au plancher, probablement rivé au même carreau que Cat admirait à longueur de séance.

– Quand j'ai entendu parler, pour la première fois, du divorce de mes parents, je ne me suis pas demandé ce que j'allais devenir, ni avec qui j'allais vivre. Je présumais qu'en pareil cas le père s'en allait et que l'enfant restait avec sa mère. J'allais avoir seize ans quand tout cela a commencé. Du jour au lendemain, j'étais devenue un trophée, le prix d'une compétition acharnée. Le match allait avoir lieu dans un tribunal et chacun des adversaires — à savoir : mon père et ma mère — allait s'évertuer à prouver à un juge que l'autre n'était pas apte à obtenir la garde de sa fille — autrement dit : moi.

Je me tournai vers Star.

– As-tu la moindre idée de ce que cela signifie ?

– Non, répondit-elle calmement. Tu as raison. Mes parents sont tous les deux partis en courant pour échapper à leurs responsabilités. Mais ça ne veut pas dire que je n'ai pas envie de savoir ce que c'est que d'avoir des parents qui vous aiment et qui veulent bien de vous.

La sincérité que je lus dans ses yeux me désarçonna. Tout le sang qui m'était monté aux joues reflua et les battements de mon cœur ralentirent progressivement, tandis que je me calais contre le dossier du canapé. Je jetai un coup d'œil au Dr Marlowe : elle avait haussé les sourcils.

Quand j'avais commencé à la consulter, j'avais décrété que je la haïrais. J'aurais voulu qu'elle échoue. Je ne sais pas pourquoi. Peut-être pour ne pas avoir à admettre que j'avais besoin d'elle ? Peut-être n'y étais-je toujours pas prête, d'ailleurs… Mais, malgré tout cela, je n'étais pas parvenue à la détester. Elle avait toujours l'air si sereine, si calme. Elle ne me forçait jamais à faire ni à dire quoi que ce fût. Elle se contentait d'attendre que les écluses du barrage s'entrouvrent un peu plus et que je laisse les souvenirs et les émotions déferler. C'était exactement ce qu'elle était en train de faire.

J'avais toujours l'impression d'être vrillée, tiraillée comme un élastique, mais les crampes qui me tordaient l'estomac semblaient s'apaiser. Je pouvais peut-être le faire. *Peut-être le devrais-je,* pensai-je. *Parfois, quand vous vous entendez exprimer quelque chose, cela ne fait que confirmer ce que vous ressentiez confusément ou vous convainc de son inanité. Oui, c'est vrai, peut-être cela me ferait-il du bien, finalement ?* Je n'avais personne à qui parler, ces temps-ci, de toute façon, sauf mon reflet dans la glace.

Je jetai un regard par la fenêtre. Il faisait nettement plus beau que la veille. Nous n'avions même pas eu droit à notre traditionnelle brume marine matinale. Quand je m'étais éveillée, le ciel était déjà d'un azur limpide avec un beau soleil radieux. À présent, je contemplais un grand ciel bleu dont seuls les oiseaux troublaient la perfection immaculée. Il en voletait des dizaines dans les bosquets du parc. Comme je les observais, un écureuil fila le long d'un tronc, s'immobilisa, nous jeta un coup d'œil, puis courut se cacher dans un buisson. Comme j'aurais aimé pouvoir en faire autant !

Notre propriété était beaucoup plus vaste que celle du Dr Marlowe, et nous n'étions pourtant qu'à quelques kilomètres de Sunset Boulevard, dans l'un des quartiers les plus exclusifs de Beverly Hills : immense résidence privée ne comportant que des maisons d'architecte qui appartenaient aux gens les plus riches du pays et peut-être même du monde. Nous n'avions pour voisins que des diplomates, des magnats de la finance et des têtes couronnées — certains princes des Émirats possédaient là de splendides palais dignes des *Mille et Une Nuits*. C'était l'un des endroits les plus prisés du globe — ce n'était pas un hasard si mes parents avaient choisi d'y élire domicile. Comment s'étonner, après cela, que j'aie toujours eu l'impression de vivre à l'intérieur d'une bulle protectrice indestructible ?

Il ne m'était cependant pas difficile de me sentir à mon aise chez le Dr Marlowe. Non seulement le décor et le cadre s'y prêtaient à merveille, mais le docteur lui-même s'y prenait très bien ; de telle sorte que, lorsque je venais la consulter, j'avais plutôt l'impression de lui rendre visite et non de venir suivre un quelconque traitement — tout en sachant pertinemment que c'était le cas, bien entendu. Je supposais... non, j'espérais, quelque part, au plus profond de moi, que l'enjeu était plus important quc ccla, quc j'ctais avcc quelqu'un qui s'intéressait à moi pour des raisons autres que purement professionnelles. Le Dr Marlowe nous avait dit qu'elle et sa sœur étaient des enfants de divorcés, qu'elles avaient finalement été confiées à la garde de leur père. Bien que son expérience ait été différente, il devait bien y avoir certaines similitudes, entre nos parcours respectifs, qui l'incitaient à compatir. Quoi qu'il en soit, il me fallait admettre qu'elle avait raison sur un point : cela me faisait du bien de lui parler.

Mais peut-être ne nous avait-elle fait

ces confidences que pour mieux gagner la confiance qu'elle cherchait à obtenir ? Peut-être cela faisait-il partie de sa technique ? Peut-être, aussi, cela m'était-il égal, après tout ?

Peut-être pas.

– Je suis comme tout le monde ici, concédai-je. Je ne veux pas haïr mes parents.

– Bien, m'encouragea le Dr Marlowe.

Je sentais, à leurs soupirs et à leur attitude, que la tension des autres se relâchait.

– C'est un bon début, Jade, renchérit-elle, les yeux brillants.

Je ne déçus pas son attente :

– Ils se sont pourtant aimés, à une époque. Ils ont bien dû s'aimer, tout de même ! J'ai vu les photos : elle et lui marchant main dans la main le long du rivage ; elle et lui assis à une table de restaurant pour un dîner aux chandelles ; elle et lui s'embrassant sous la tour Eiffel, dans une gondole à Venise et même sur la grande roue, dans un parc d'attractions. Chacun conservait des photos de l'autre souriant et agitant la main, à cheval, en décapotable, en hors-bord. À mes yeux, il ne pouvait y avoir deux personnes au monde qui s'aimaient davantage, j'en étais absolument convaincue.

« Aujourd'hui, je suis convaincue qu'il n'y a pas deux personnes au monde qui se haïssent à ce point.

Je me tus. Je sentais mon visage se refermer et mes traits se durcir sous le coup de l'émotion.

– Et je serais censée préférer vivre avec l'un plutôt qu'avec l'autre ? repris-je, une ironie amère dans la voix.

– C'est le cas ? me demanda Misty.

– Non. La plupart du temps, je ne préférerais vivre ni avec l'un ni avec l'autre.

– À qui la faute ? lança le Dr Marlowe.

Elle m'avait déjà posé cette question. Je m'étais simplement détournée sans répondre. Mais, à présent, les autres me dévisageaient avec une telle intensité, un si vif intérêt dans le regard ! Même Cat avait levé les yeux vers moi.

Feignant l'indifférence, je leur jetai à chacune un coup d'œil à la dérobée : sur chaque visage, cette même attente insupportable. Au terme de quelques minutes de silence écrasant, je n'y tins plus.

– Je ne sais pas ! leur criai-je à la face.

– Moi non plus, marmonna Misty.

Star se contenta de secouer la tête. Elle ne connaissait pas la réponse, elle non plus.

Je me tournai vers Cat : la terreur dilatait de nouveau ses prunelles.

– C'est précisément pour le découvrir que nous sommes ici, déclara le Dr Marlowe. Vous êtes bien arrivées jusque-là. Pourquoi ne pas faire quelques pas supplémentaires pour voir où cela vous mène ? Cela n'en vaut-il pas la peine, Jade ?

Je fermai les yeux et baissai la tête. Les larmes me brûlaient les paupières.

– Jade ?

– Si, répondis-je avec un soupir las.

Je levai les yeux et la regardai à travers mes larmes.

– D'accord. Je vais essayer.

Et, une fois de plus, je m'aventurai hors de ma bulle protectrice, pour pénétrer dans un monde où la pluie était glacée, le soleil, ardent, et où le mensonge poussait comme du chiendent.

1

– D'aussi loin qu'il m'en souvienne, et bien qu'ils n'aient jamais eu besoin d'argent, mes parents ont toujours travaillé. Ma mère m'a dit et répété — de plus en plus souvent ces derniers temps, d'ailleurs — qu'après ma naissance, elle était restée six mois à la maison. Elle n'aurait laissé à personne le soin de me nourrir et de m'élever, paraît-il. À l'entendre, ces six mois représentent le sacrifice suprême — le plus grand auquel elle ait consenti de toute son existence, en tout cas. Elle dit que mon père n'envisagerait pas une seule seconde de prendre un congé exceptionnel pour s'occuper de moi, quoiqu'il n'ait de compte à rendre qu'à lui-même. « Voilà, conclut-elle, la grosse différence entre ton père et moi, et voilà pourquoi tu ne devrais même pas songer un seul instant à vivre sous son toit. »

« Elle me dit aussi que, selon certaines études parues récemment, la présence de la mère n'est pas indispensable au bon développement de l'enfant dans les premières années de sa vie, du moins, pas autant qu'on l'avait prétendu antérieurement.

– Avez-vous lu cela, vous aussi, docteur Marlowe ?

– J'ai effectivement pris connaissance de certaines publications et de chiffres très intéressants en faveur de cette théorie, oui. Mais je ne suis, pour ma part, parvenue à aucune conclusion tranchée, me répondit-elle. Il y a autant d'arguments valables et de statistiques fiables dans l'un et l'autre camp.

– Oui, eh bien, moi, je pense qu'elle m'a dit cela parce que papa soutient que j'aurais eu moins de problèmes émotionnels si elle s'était mieux occupée de moi, quand j'étais petite, et m'avait témoigné plus de tendresse et d'attention. Quoi qu'il en soit, je sais, de source sûre, que c'est un des griefs qu'il a portés à son discrédit pour étayer la demande d'exercice exclusif de l'autorité parentale dont il a saisi le juge et obtenir ainsi le droit de garde.

Je me tournai vers les filles. Elles avaient

l'air complètement perdues. Je n'avais certes pas encore entendu l'histoire de Cat, mais je savais que ni Star ni Misty n'avaient vraiment pris part à la bataille juridique qui se joue dans l'instruction d'un divorce. *Eh bien, avec moi, elles vont avoir droit à un vrai cours magistral,* pensai-je. *Je connais mon sujet !*

– Mon père et son avocat affirment que ma mère était totalement dépourvue d'instinct maternel et absolument incapable de répondre aux besoins de sa fille. Mon père dit qu'elle était trop égocentrique, que c'est même la raison pour laquelle ils n'ont pas eu d'autres enfants. Dès qu'il a compris quelle sorte de mère elle serait, il a décidé qu'il valait mieux ne pas récidiver.

– Dans mon cas, et encore plus dans celui de Rodney, grommela Star, on a eu de la chance que maman ne passe pas plus de temps avec nous quand on était petits. Sinon, m'est avis qu'on ne se serait pas développés du tout !

Le petit rire étouffé du Dr Marlowe provoqua un même mouvement de surprise générale.

– Évidemment, repris-je, ma mère, quant

à elle, dit qu'elle ne voulait plus d'enfants parce qu'elle savait quel genre de père était et serait toujours mon père. « S'il croit me faire endosser ses propres défaillances paternelles, en invoquant ma carrière, il fait fausse route, affirme-t-elle. Parce que ma carrière, justement, n'interfère en rien avec mes responsabilités parentales envers toi. »

– Si je comprends bien, ta mère travaille encore, alors ? me demanda Misty.

– Tu plaisantes ? Bien sûr !

– Qu'est-ce qu'elle fait ?

– Elle est directrice des ventes dans une grande société de produits cosmétiques — je pourrais probablement obtenir de très avantageuses réductions pour ta mère, si tu veux, ajoutai-je, le portrait de femme obsédée par sa beauté que Misty nous avait tracé d'elle m'étant subitement revenu à l'esprit.

– Ma mère ne s'embarrasse pas de ce genre de détails. Plus elle dépense, plus elle peut prouver que sa pension alimentaire n'est pas suffisante pour lui permettre de continuer à mener le train de vie auquel elle était habituée avant son divorce. Alors, les réductions !

Le ton et la mimique dont Misty accompagna sa réponse me firent sourire.

– Tu n'en as peut-être pas conscience, lui dis-je, mais, légalement, c'est là un point très important.

– Quoi ?

– Le fait que l'ex-épouse et l'enfant, ou les enfants, puissent jouir du même train de vie que celui dont ils jouissaient avant le divorce. C'est l'un des facteurs qui entreront en ligne de compte lorsque le juge déterminera le montant des prestations compensatoires, si ma mère obtient le droit de garde. Ma mère voudrait plaider l'indépendance financière, mais son avocat affirme qu'elle doit jouer la carte de la pension alimentaire et prendre des mesures légales pour que mon père continue à supporter la charge des dépenses nécessaires à son entretien et au mien.

Je marquai une pause pour examiner mon auditoire.

– Êtes-vous déjà totalement captivées ? Le feuilleton des aventures de Jade Lester se révèle-t-il aussi passionnant que celui de vos stars préférées du petit écran ?

Misty réprima en vain un de ses petits sourires sarcastiques.

– Et ton père, il fait quoi ? me demanda Star.

– Mon père est architecte, un très brillant architecte même : c'est lui qui a dessiné ce grand centre commercial en cours de construction, ainsi que quelques-uns des plus beaux buildings de Los Angeles, sans compter nombre de réalisations édifiées hors de nos frontières, dont une au Canada, notamment. Ma mère et son avocat ont essayé de monter ses constants déplacements en épingle avec la ferme intention de prouver qu'il serait trop souvent absent pour veiller correctement sur un enfant — à plus forte raison une adolescente — et donc assumer pleinement son rôle de père.

« Papa dit que l'emploi du temps de maman est encore plus chargé que le sien et qu'étant, elle aussi, constamment obligée de voyager pour le compte de sa société, elle serait trop souvent absente pour veiller correctement sur moi et assumer pleinement son rôle de mère. Ils ont tous deux produit les pièces à conviction nécessaires : titres de transport, notes de frais, agenda professionnel, justificatifs de cartes de crédit, etc.

Je réfléchis une seconde et me tournai vers le Dr Marlowe.

– Je me suis demandé ce qui se passerait si le juge estimait qu'ils ont tous les deux raison. Je me retrouverais avec des parents qui seraient aussi incapables, l'un que l'autre de faire des parents acceptables ? Ce serait possible ?

– Cela s'est déjà produit, reconnut-elle, mais je doute que ce soit ton cas, Jade.

– Ah vraiment ? Vous me rassurez. J'aurais été obligée d'emménager avec Star chez sa grand-mère, sinon !

– Comme si tu pouvais te passer un seul jour de domestiques, de chauffeurs et autres larbins en tout genre ! me rétorqua Star.

– Tu as peut-être raison. Mais je vais vous dire une bonne chose : ce n'est certainement pas moi qui me priverai de quoi que ce soit pour leur faciliter la tâche. Ils m'ont appris à mener et à apprécier une vie de luxe ? À eux de me la procurer, maintenant. Ne suis-je pas censée « continuer à jouir du train de vie auquel j'ai été habituée » ?

Tous les sourires s'évanouirent. Je m'adossai au canapé.

– Vous savez toutes que je suis une Beverly. Star n'a pas manqué de me le rappeler, tout à l'heure, dis-je, en regardant Misty, laquelle nous avait parlé de son petit ami qui qualifiait les « filles à papa pourries de pognon » de « Beverly » parce qu'elles venaient de Beverly Hills. Je n'éprouve aucune honte à faire partie des nantis et je ne me considère nullement comme « pourrie », au sens où ce jeune poète l'entendait, mais bien plutôt comme, disons... protégée.

– De quoi ? s'enquit Star. Certainement pas du malheur, en tout cas.

– Il y a des degrés dans le malheur, lequel peut prendre bien des formes. Quant à moi, je n'ai aucun souci d'ordre pécuniaire, par exemple : je peux acheter tout ce que je veux et aller où je veux quand je veux.

– La belle affaire !

– Pour moi, cela n'a rien de négligeable et, quoi que tu en dises, je sais que cela compte aussi pour toi, lui répliquai-je, les sentences de ma mère au sujet des indigents me revenant en mémoire.

– Tu ne sais rien du tout !

– Oh ! Pourquoi ? Toi si ?

Elle croisa les bras et se redressa, adoptant une attitude défensive.

– Tu as une grande maison ? me demanda-t-elle.

– Plus grande que celle-ci, répondis-je, en jetant un regard circulaire au bureau de notre psychiatre, lequel tenait davantage du salon de réception d'un hôtel que du cabinet médical.

D'une superficie plus que respectable, ledit cabinet était meublé, d'une part, d'un bureau, de rayonnages et d'une bibliothèque et, d'autre part, de deux canapés, avec fauteuils de cuir assortis, d'une grande table basse circulaire et de plusieurs guéridons. Les baies vitrées donnaient sur le parc.

– C'est mon père qui a dessiné notre maison, naturellement, poursuivis-je. Ce n'est pas une construction de style Tudor, comme celle-ci. Il estimait qu'il y en avait déjà trop à Los Angeles.

« Non, nous possédons ce que l'on appelle une maison de style néo-classique, avec porche d'entrée en demi-cercle se dressant sur les deux étages et supporté par des colonnes ioniques, flanqué de deux porches latéraux avec fenêtres rectangulaires à doubles châssis à guillotine de neuf carreaux chacun. Elle est tout à fait unique en son genre et remporte un franc succès : les voitures ralentissent quand elles passent devant et les gens restent toujours bouche bée quand ils la découvrent — bien que ce ne soient pas les magnifiques propriétés qui manquent dans le voisinage.

« Combien fait cette maison, docteur Marlowe ? Mille deux cents mètres carrés ?

– Quelque chose comme cela, oui.

– La mienne est plus proche du double. Cela te permet-il de te faire une idée ? demandai-je à Star.

– O.K., tu as une grande maison. Tu as une voiture à toi toute seule ?

– J'en aurai une cette année. Je n'ai pas encore arrêté mon choix, pour l'instant. Ma mère m'a conseillé une Jag décapotable, après que mon père m'avait suggéré une Ford Taurus. Maintenant, mon père songerait éventuellement à une Mustang. Ils m'agitent tous les deux leurs carottes respectives sous le nez. De toute façon, en attendant que je prenne ma décision, j'ai toujours la limousine qui me conduit partout où j'en ai envie, quand j'en ai envie.

– Génial. Ravie que tu nous aies donné toutes ces précisions, persifla Star. Donc, tu as un moyen de transport. J'imagine que tu as aussi plein de fringues.

– Mon dressing fait presque le tiers de cette pièce et il est rempli de tous les derniers modèles les plus tendance.

Je me tournai vers Misty.

– Je sais, d'après ce que tu m'en as dit, que tu possèdes également de très jolies petites choses. Mais la différence, vois-tu, c'est que, les miennes, je les porte. Cette robe sans manches, par exemple, est une Donna Karan, dis-je, en désignant le modèle anthracite que j'avais revêtu ce jour-là.

– Je n'ai rien d'aussi cher dans ma garde-robe, me répondit Misty. Mais celle de ma mère en est remplie.

– Oh ! mon pauv'chou ! se gaussa Star, avant de se retourner vers moi. Et tu as une bonne, des jardiniers et une cuisinière pour aller avec ta garde-robe grand luxe, je parie ?

– Absolument. Le nom usuel de notre domestique est Rosina Tores. Elle a vingt-cinq ans et est originaire du Venezuela. Et notre cuisinière s'appelle Mme Caron. Elle est française. Un véritable cordon-bleu ! C'était un grand chef, là-bas, et elle officiait dans un restaurant parisien très réputé.

– Vous avez une cuisinière, vous ? Ouah ! s'extasia Misty. Chez nous, c'est notre employée de maison qui fait la cuisine.

– O.K., donc tu as : une grande maison, une grande voiture, des domestiques et un grand chef qui fait de la grande cuisine dans ta grande maison, récapitula Star. Bien. Mais, moi, je dis toujours « la belle affaire ! ». Arrête de payer les domestiques, la cuisinière et le chauffeur et tu verras s'ils continuent à s'occuper de toi. Quant à ton palace, quand tu rentres chez toi, tu as juste plus d'espace pour entendre résonner ta solitude. Avec tout ton argent, tu ne peux pas acheter ce que j'ai.

– Quoi donc ? Ta pauvreté ?

– Non, une mamie qui me donne de l'amour, et pas parce qu'elle est embauchée pour ça, lâcha-t-elle, triomphante.

Elle avait tout de la petite peste qui vient de planter une aiguille dans le beau ballon de sa voisine.

Je me tournai vers le Dr Marlowe. Elle me dévisageait si intensément que je me sentis rougir.

– Moi aussi, j'ai des grands-parents.

– Ah oui ? s'enthousiasma aussitôt Misty, avec une telle expression que l'on pouvait déjà lire sur son visage toutes les belles histoires de dimanches et de vacances en famille qu'elle imaginait.

Il me répugnait de la décevoir, presque autant qu'il me répugnait de me décevoir moi-même. *Attendez un peu que je vous raconte mon dernier Noël !* pensai-je.

– Oui, mais ils vivent très loin. Les parents de mon père habitent sur la côte Est. Il a deux frères et une sœur. Ils sont tous mariés et ont également des enfants. Les parents de ma mère sont retraités et résident à Boca Raton, en Floride. Ma mère a un frère célibataire qui travaille à Wall Street.

– Et qu'est-ce qu'ils en disent, du divorce, tes grands-parents ? s'enquit Misty.

– Pas grand-chose. À moi, du moins. Les parents de mon père lui ont dit de régler ses problèmes de couple en privé, et ceux de ma mère, qu'ils étaient maintenant trop vieux pour gérer la « crise conjugale » de leur fille. Ils veulent qu'on les laisse profiter en paix de leur golf et de leurs parties de bridge.

– Ils ne te demandent pas d'aller les voir ? me demanda Star.

– Si, mais ils ne l'ont pas fait depuis quelque temps, avouai-je à contrecœur. Ils se disent probablement que je suis un problème ambulant et ils ne veulent surtout pas se retrouver avec ce problème-là sur les bras. Je n'aime pas leur rendre visite, de toute façon. Il n'y a rien à faire, pour moi, là-bas. Et puis il faut toujours qu'ils se plaignent de leurs rhumatismes, de leurs maux de tête, de reins, d'estomac... C'est épuisant, à la fin.

« En outre, enchaînai-je, formulant à haute voix ce dont je venais seulement de me rendre compte, si je décidais d'aller voir mes grands-parents paternels, ma mère voudrait que j'aille rendre visite à mes grands-parents maternels et que je fasse, chez eux, un séjour de même durée, à la minute près.

– Ils se battraient pour un truc comme ça ? s'étonna Misty.

Elle avait l'air complètement abasourdie.

– Ils se battent pour un timbre-poste. Ma maison est devenue un véritable champ de bataille. J'ai l'impression de mettre ma vie en jeu chaque fois que je me risque à faire un pas entre eux.

– Tu veux dire qu'ils vivent encore tous les deux chez toi ? s'étonna Cat, manifestement ébahie.

Je l'avais presque oubliée tant elle était demeurée discrète. Je ne m'attendais certes pas qu'elle suivît mon récit avec une telle attention, en tout cas.

– Oui. Ils ne partagent évidemment plus la même chambre, mais ils vivent tous les deux à la maison — quand ils sont à Los Angeles, du moins.

– Pourquoi ? s'enquit Misty. Je veux dire : si c'est constamment la guerre entre eux, pourquoi tiennent-ils tant à vivre encore ensemble ?

– Ma mère m'a laissée entendre que mon père avait tout d'abord envisagé de déménager, mais que son avocat l'en avait dissuadé arguant du fait que, si l'un des parents quittait le domicile conjugal, abandonnant ainsi l'enfant derrière lui, avant même la fin du procès, il lui serait nettement plus difficile d'obtenir la garde par la suite. Elle prétend, bien sûr, que c'est la seule raison qui l'a retenu à la maison.

– Eh bien dis donc ! il faut qu'il t'aime, ton père, pour accepter de rester dans un tel climat de tension juste pour ça !

– N'oublie pas que sa mère aurait pu tout aussi bien partir, mais qu'elle ne l'a pas fait non plus, lui rappela Star.

– Ce n'est pas pour moi qu'ils font cela, sifflai-je, entre mes dents.

Je ne m'étais même pas aperçue que je serrais les dents à ce point : une mauvaise habitude que je n'avais prise que très récemment, mais qui se manifestait de plus en plus souvent, ces temps-ci.

– Pour qui alors ? me demanda Cat.

– Mais, pour eux-mêmes, voyons ! Je vous l'ai déjà dit je ne suis qu'un trophée, le prix d'une compétition acharnée, un moyen pour chacun de prouver à l'autre qu'il est le plus fort. Vous êtes sourdes ?

Cat secoua la tête.

Les manœuvres juridiques auxquelles

se livrent les parents pour obtenir la garde de leur enfant semblaient toujours autant les déconcerter. C'était à se demander si elles savaient ce qu'était un divorce ! J'adressai un regard découragé au Dr Marlowe. Un indéchiffrable petit sourire flottait sur ses lèvres.

Je poussai un profond soupir avec un ostensible haussement d'épaules.

– Je suppose qu'en fait, raconter toute cette histoire de bataille juridique et de trophée c'est un peu raconter mon histoire.

Et je décidai de me jeter à l'eau pour de bon :

– Mes parents ne m'ont eue qu'au bout de six ans de mariage. J'ai toujours cru que j'étais un accident. Ma mère avait dû oublier sa pilule ou je faisais partie du 1 % d'erreurs inévitables. Quant à moi, j'aime à penser qu'ils ont vécu un moment de passion si débridée qu'ils ont jeté toute prudence aux orties ; que ces deux personnes, habituellement si équilibrées, si pondérées, si parfaitement organisées, ont cédé à une subite et irrépressible pulsion et fait l'amour au débotté, au moment où l'un comme l'autre s'y attendaient le moins. Et, résultat : *your humble servant,* dis-je, en écartant les bras pour saluer mon public.

Misty s'esclaffa ; Star s'autorisa l'ombre d'un sourire — ou, du moins, ce qui pouvait passer pour tel — et Cat me dévisagea avec ses grands yeux écarquillés, comme si je venais de bafouer le plus sacro-saint des tabous.

– Quand j'avais environ neuf ans, repris-je, je m'asseyais souvent par terre, dans le salon, pour parcourir leurs albums de vacances. Chaque photographie m'offrait matière à imaginer les plus belles scènes d'amour. Comme je vous l'ai déjà dit, ils sont allés dans tous les endroits les plus romantiques de la planète. Pour moi, leur vie tout entière n'était qu'un grand film d'amour. Je pouvais même entendre la bande-son.

Le regard rêveur et le menton posé dans la paume de la main, Misty m'écoutait, songeuse.

– Ils étaient là, enlacés dans une gondole, à Venise, bercés par la voix du gondolier, puis courant main dans la main pour regagner leur chambre d'hôtel en riant, puis voici que ma mère se jetait dans les bras de mon père et qu'au clair de lune pénétrant par la fenêtre ouverte, tandis que montaient les accents étouffés d'une sérénade italienne, ils s'étreignaient sur la courtepointe immaculée du lit à baldaquins... Neuf mois plus tard, je venais au monde.

– C'est ça, ricana Star. Tu parles ! Ça s'est plutôt passé sur une banquette arrière, oui !

– Pour toi, peut-être, ripostai-je, cinglante. Mais mon père et ma mère ne s'abaisseraient jamais à...

– Pourquoi tu continues à te mentir toute seule ? s'emporta-t-elle, tout à coup. Il n'y a pas encore assez de gens qui te mentent comme ça ?

Je restai sans voix. Mon regard passa de son visage à celui de notre psychiatre, qui haussa les sourcils : expression qu'elle adoptait toujours quand une idée qu'elle estimait intéressante m'était soumise — à moi ou à n'importe laquelle d'entre nous, d'ailleurs.

– Je ne me mens pas. Il est tout à fait possible que cela se soit passé ainsi. Vous avez vous-mêmes évoqué l'époque révolue où vos parents s'étaient dit ou écrit des choses qui ne laissaient aucun doute sur la sincérité de leurs sentiments. Pourquoi n'en aurait-il pas été de même pour les miens ?

Le ton de ma propre voix m'affligea : il ressemblait à une supplique.

Star préféra détourner les yeux. Au fond de moi, je savais qu'elle aurait bien aimé s'abandonner à ce genre de rêveries, elle aussi, mais elle préférait s'en abstenir, surtout après ce qu'elle avait vécu. Elle n'avait peut-être pas tout à fait tort…

– Ma mère s'est retrouvée enceinte au moment où elle allait obtenir une très importante promotion, déclarai-je, avec une sécheresse toute administrative. Quant à cela, je n'ai aucun doute : je l'ai entendu dire de trop nombreuses fois pour que quelqu'un ait pu l'inventer. C'est la raison pour laquelle je pense avoir été un accident.

– Pourquoi ils n'ont pas choisi l'avortement, plutôt ? me demanda Star.

– Parfois, je me dis qu'ils auraient mieux fait.

C'était comme si j'avais devant moi trois miroirs différents qui reflétaient un même visage : le mien. Combien de fois chacune de ces filles n'avait-elle pas eu cette même impression : l'impression de ne pas avoir été désirée, d'être un fardeau, d'être de trop ?

– Ils me voulaient et ne me voulaient pas, poursuivis-je. Leur vie était moins compliquée sans moi, et pourtant… Sans doute la pression avait-elle été trop forte. Probablement que mes grands-parents, leurs amis, la société, les poussaient à faire un enfant, à fonder une famille. Ma mère avait trente-deux ans et, penchée au-dessus de son épaule, se tenait cette fameuse horloge biologique, ses aiguilles pointées sur elle, comme deux gros index accusateurs lui rappelant que le temps passait.

« Toujours est-il que, lorsqu'elle a découvert qu'elle était enceinte, elle et mon père entreprirent d'établir un de leurs innombrables… comment dire ? contrats post-nuptiaux ? hésitai-je, consultant le Dr Marlowe du regard.

– Qu'est-ce que c'est encore que ça ? grommela Star.

– Nombre de gens signent un contrat de mariage avant de passer à l'acte proprement dit, lui expliquai-je. Certains le font pour protéger leurs biens personnels ou pour s'assurer que certaines choses, qu'ils n'entendent pas voir changer, ne changeront effectivement pas du simple fait qu'ils se marient.

J'étouffai prestement un petit ricanement amer.

– Comme vous pouvez le constater, grâce à mes chers parents, je pourrais pratiquement m'établir conseiller juridique !

« Cela dit, si étrange que cela puisse paraître, mes parents n'avaient pas établi de contrat de mariage. Mais, après avoir convolé en justes noces, ils se mirent tout de même d'accord sur un certain nombre de points, notamment sur certaines choses qu'ils ne voulaient pas voir changer.

« À savoir : que ma mère pourrait poursuivre sa carrière et que mon père ferait en sorte que cela lui soit possible. La nature et, disons, des rapports non protégés, ayant introduit un nouvel ingrédient dans leur vie — un fœtus qu'ils devaient appeler Jade —, lequel devait menacer leur précieux *statu quo,* il était donc normal qu'ils veuillent se rassurer, tu comprends ? dis-je, en adressant à Star un coup d'œil interrogateur. N'est-ce pas ?

– J'ai l'impression que je suis le clou et toi, le marteau. Je ne suis pas idiote, tu sais !

– Je voulais juste que tu apprécies ma situation.

– Que *j'apprécie* ?

Exaspérée, je me tournai d'un bloc vers le Dr Marlowe. Ne se rendait-elle donc pas compte à quel point cette épreuve était plus difficile pour moi ? Ces filles étaient si… communes.

– Tu leur parlais du contrat post-nuptial, me dit-elle d'un ton ferme qui n'autorisait aucune défection. Je soupirai et m'exécutai :

– Oui, le contrat post-nuptial. Ils se sont donc assis à une table et ont dressé par écrit une liste de ce qu'ils attendaient l'un de l'autre dans l'hypothèse où ils m'accorderaient l'autorisation de venir au monde.

– Qu'est-ce que tu racontes ? me rabroua Star en levant des sourcils en points d'interrogation. Tu veux dire que, s'ils n'étaient pas tombés d'accord là-dessus, ils ne t'auraient jamais eue ?

– Je peux t'assurer que je n'ai absolument aucun doute sur ce point, surtout après les six mois que je viens de passer.

– Ah ! je vous jure ! s'exclama-t-elle, en secouant la tête. Mamie a bien raison quand elle dit que non seulement les gens riches sont différents, mais qu'ils ne sont même pas de la même espèce que nous.

– Je ne sais pas si c'est l'argent qui rend les gens si différents, objecta Misty.

Elle se tourna vers Cat qui se mordit la lèvre, si fort que, pendant un instant, j'ai craint de voir jaillir le sang.

– Jade nous a bien dit que sa mère n'avait pas besoin de travailler et que le fait que ses deux parents aient de brillantes carrières posait problème, non ? argua Misty, en se tournant vers le Dr Marlowe.

– Ce sont là des questions auxquelles il revient à Jade de répondre, dit-elle.

– Je suis d'accord : l'argent ne rend pas nécessairement égoïste, répondis-je. D'après ce que tu nous en as dit hier, tes parents n'ont-ils pas fait preuve d'un égoïsme monstrueux ? ajoutai-je, en me tournant vers Star.

– Si, mais de là à écrire ça, comme ça, s'indigna-t-elle, avec une grimace réprobatrice. Et de là à te refuser de naître s'ils ne tombaient pas d'accord, c'est... c'est plutôt raide !

– Qu'est-ce qu'ils avaient écrit ? s'enquit Misty. Est-ce qu'ils te l'ont dit, au moins ?

– Oh ! absolument. Ils ne cessent de se le jeter à la tête à longueur de temps. *Primo*, que ma mère ne resterait pas à la maison plus de six mois après ma naissance et qu'ensuite mon père paierait une nourrice sur ses propres deniers. *Secundo*...

– Ça veut dire quoi, ça ? m'interrompit Star.

– Ils ont toujours soigneusement consigné ce que chacun gagnait et gardé des comptes en banque séparés. En outre, ils ont passé un accord quant aux dépenses que chacun doit assumer, comme la taxe d'habitation, les impôts locaux, les emprunts, les frais de fonctionnement, etc. Chacun possède sa propre voiture et chacun est responsable des dépenses de son véhicule. Les frais de nourriture sont partagés, naturellement, puisque c'est une dépense d'entretien primordiale.

Star m'écoutait, bouche bée, comme si je venais vraiment d'une autre planète.

– Ils procèdent ainsi pour protéger leurs intégrités respectives, lui expliquai-je. Ma mère n'est pas si radicalement féministe que cela, mais elle croit qu'il est important pour elle de conserver son identité. Elle dit que si elle devait remettre tout ce qu'elle gagne à son mari, elle perdrait cette identité à laquelle elle tient tant. Quant à mon père, il ne lui viendrait certainement pas à l'esprit de verser tout ce qu'il gagne à sa femme, c'est évident.

– Elle ne se fait pas appeler Mrs Lester, alors ? demanda Star, avec une petite moue sarcastique.

– Pour son travail, elle a conservé son nom de jeune fille : Maureen Mathews.

Je pris le temps de réfléchir un instant, puis j'ajoutai :

– Il n'est pas rare qu'ils lancent des invitations en inscrivant M. Lester et Miss Maureen Mathews sur les cartons. Du moins, il n'était pas rare.

– Ma mère a repris son nom de jeune fille, maintenant, dit Misty. Et la tienne ? demanda-t-elle à Cat.

– La mienne aussi, répondit Cat.

– À t'entendre, on dirait que tes parents étaient déjà divorcés avant de se marier, murmura Star.

J'ai réprimé mon hilarité. C'était une réflexion que je m'étais déjà faite.

– Disons qu'ils étaient ensemble, mais divisés. Équitablement, ajoutai-je, pince-sans-rire.

– Qu'est-ce qu'il y avait d'autre dans leur fameux contrat ? s'enquit Misty.

– Une fois que ma mère aurait repris ses activités professionnelles, mon père devait partager avec elle toutes les charges de mon entretien et de mon éducation, ainsi que les contraintes afférentes : si je devais aller chez le médecin pendant que ma mère était à son travail, mon père devait quitter le sien pour m'accompagner. À charge de revanche, bien entendu. Chacun prenait son tour. Il en était de même pour les réunions parents-professeurs et autres obligations scolaires, les visites chez le dentiste, les visites chez le dermatologue, les visites chez l'optométriste, l'orthodontiste…

– Ça va, ça va, on a compris, m'interrompit de nouveau Star.

– Et ils s'y sont vraiment tenus ? me demanda Misty. Je hochai la tête.

– À la virgule près. J'ai grandi en pensant que tout le monde avait un grand calendrier trônant dans sa cuisine avec les initiales de son père inscrites dans certaines cases et les initiales de sa mère dans les autres. Quand j'allais chez des camarades de classe et ne voyais nulle part cet indispensable emploi du temps familial, je leur demandais quelle meilleure place ils lui avaient trouvé. Cela les amusait ou me faisait passer pour une excentrique. Certaines reconnaissaient que leurs parents notaient effectivement leurs rendez-vous dans de petits agendas, mais aucune n'y avait jamais prêté attention.

« Je crois que c'est à partir de là que j'ai commencé à me sentir différente et, pour tout dire… coupable.

– Pourquoi ? souffla Cat, avant de se replonger immédiatement dans l'examen du dallage.

– Parce que je savais que ma mère aurait préféré être ailleurs ou que mon père était obligé de repousser quelque rendez-vous important pour s'occuper de moi. Dès que j'ai été en âge de me débrouiller seule, ils se sont contentés de louer une limousine pour me trimballer partout, mais, pendant une assez longue période, l'un ou l'autre devait m'accompagner : il est des endroits qui nécessitaient leur présence et des obligations auxquelles les parents ne peuvent se soustraire.

– Et toutes les dépenses qu'ils faisaient pour toi, ils les partageaient, c'est ça ? me demanda Misty.

– Presque toutes. Il arrivait que ma mère désapprouvât un achat que mon père avait fait pour moi et vice versa. Pour régler ce différend, il était convenu qu'en pareil cas, l'autre n'était pas tenu de contribuer à la dépense.

– Ils étaient comme ça pour tout et tu les croyais amoureux ! s'exclama Star, avec un rictus ironique.

– Oui. Je ne pense pas qu'ils aient été ainsi au début. Comme je l'ai déjà dit, je pense qu'ils ont été follement épris et puis que, avec le temps, ils sont devenus…

– Devenus quoi ?

Je me tournai vers le Dr Marlowe. Nul doute qu'elle attendait ma réponse avec le plus grand intérêt. Il m'avait fallu longtemps pour la trouver : des heures et des heures à regarder mes parents se disputer et devenir progressivement des étrangers l'un pour l'autre, comme s'ils se sentaient mieux dans ce rôle que dans celui d'amants.

– En péril, lançai-je.

Star se tourna vers Misty. Misty haussa les épaules.

– Pourrais-tu nous expliquer ce que tu veux dire par là, Jade ? me demanda le Dr Marlowe, si doucement que je faillis ne pas l'entendre.

– Je suppose qu'ils ont peu à peu commencé à mesurer tout ce à quoi ils devraient renoncer, combien ils devraient donner d'eux-mêmes pour que leur couple marche. Et, quand je suis arrivée, le prix à payer a encore augmenté. Ma mère a toujours eu peur d'exister de moins en moins en tant qu'individu, si elle avait des enfants, et mon père a toujours eu peur de s'avilir davantage à mesure que ma mère exigeait plus de lui.

– C'est vrai ce qu'elle dit ? demanda Star, en s'adressant au Dr Marlowe. Elle sait vraiment de quoi elle parle, là ?

– Peut-être.

– Ça ne vous arrive jamais de dire « oui » ou « non », comme tout le monde ? cracha Star avec insolence.

Le Dr Marlowe posa sur elle un regard impassible.

– Oui, lâcha-t-elle finalement, sans se départir de son calme olympien.

Le silence retomba. Personne ne bougeait. Et, soudain, ce fut l'éclat de rire général. Quel soulagement ! Comme si nous pouvions enfin cesser de tirer sur la corde sans qu'aucune ne l'emportât ni qu'aucune catastrophe s'ensuivît pour autant.

Mais, à la façon dont Star me regardait, je savais qu'elle me mijotait encore une de ces savoureuses petites questions dont elle avait le secret.

– Et pour tout ça ? fit-elle, en embrassant la pièce d'un geste de la main.

– « Tout ça » ?

– Tes visites ici, chez la psy. Qui paye pour tout ça ?

– Oh ! ils partagent, répondis-je. Quoique, aux yeux de mon père, ce soit clairement la faute de ma mère si je me retrouve ici, et réciproquement.

– Comment sont-ils parvenus à un accord, alors ? demanda Misty.

– Le juge les y a contraints.

– Le juge les y a… *contraints* ?

– Je suis pratiquement sous tutelle judiciaire, en ce moment, lui expliquai-je. Une pupille de la nation, en quelque sorte ! Tu n'as pas eu à t'impliquer beaucoup dans le divorce de tes parents, je présume, n'est-ce pas ?

Elle secoua la tête.

– Toi si ?

– Tu plaisantes ? J'ai deux meilleurs amis de plus, maintenant.

– Qui ça ? demanda Star.

– Les avocats de mes parents, répondis-je en riant. Personne ne se joignit à mon hilarité.

Elles me dévisageaient toutes sans souffler mot. *Pourquoi ne rient-elles donc pas avec moi ?* me demandais-je.

Jusqu'à ce que je sentisse la première larme rouler sur ma joue.

2

M'étant prestement reprise, j'enchaînai aussitôt :

– Parfois, j'en viens à souhaiter que mes parents aient divorcé à ma naissance : je n'aurais pas eu à endurer pareil calvaire. Tout aurait déjà été réglé dans les moindres détails, jusqu'au dernier vase égyptien ou à l'ultime tapis persan, avant même que j'aie eu le temps de comprendre que la plupart des enfants vivent avec leur père et leur mère sous le même toit, un père et une mère qui ne sont pas chacun assis sur le plateau d'une balance, cherchant à toute force à la faire pencher de son côté.

« J'imagine qu'on ne peut pas désirer ce qu'on ne connaît pas. Si je dis cela, c'est parce qu'à vrai dire, quand toute cette histoire a commencé, les choses n'étaient pas très différentes de ce qu'elles sont aujourd'hui. Je ne m'en considérais pas moins comme l'enfant chérie, celle qui mérite l'entière confiance de ses parents. Ne me donnaient-ils pas la clef de la maison pour que je rentre seule dans une demeure déserte, outre une servante, une cuisinière et tout un régiment d'aides-jardiniers taillant et sarclant pour conserver à notre propriété l'harmonieux ordonnancement de son immense parc et faire en sorte qu'elle demeure le joyau de la résidence ? Mes parents étaient rarement à la maison lorsque je revenais de l'école. La plupart du temps, ma mère rentrait la première. Mais, un jour, elle a dû estimer que rentrer avant mon père dévalorisait son propre travail par rapport à celui de son mari et s'est donc mise à rester de plus en plus tard au bureau pour arriver à la maison après lui.

« Il y avait aussi la répartition des tâches : ma mère décidait du menu avec la cuisinière et mon père était responsable des employés chargés de la maintenance du parc. Ils s'étaient acquis les services d'un expert-comptable qui gérait les factures courantes et les comptes séparés. Tout ce qu'ils achetaient pour la maison devait faire l'objet d'un accord préalable ou, à défaut, être intégralement réglé par l'acquéreur.

– À ce compte-là, ce n'est plus une famille, c'est un fonds de commerce ! marmonna Star.

– Tu as sans doute raison. Ils se considéraient davantage comme des associés possédant chacun la moitié du capital. Qui sait ? Ma famille pourrait peut-être entrer en bourse : Lester SARL. Qu'en dites-vous, docteur Marlowe ? Seulement, voilà : qui voudrait investir dans une société quand les codirigeants eux-mêmes ne s'y investissent pas ?

Elle ne m'offrit guère que son masque de thérapeute impartial et ce regard impavide qui m'incitait à chercher les réponses en moi-même plutôt qu'à les attendre d'autrui.

– Oui, dis-je, en me tournant vers Star. Tu as vu juste : leur relation tenait plus du business que du mariage. Et, maintenant, la société est en faillite.

– Il y a encore de quoi faire dans les caisses, me rétorqua Star, avec cette petite moue canaille au coin de la bouche qui m'était, désormais, devenue familière, et qui m'ôtait d'évidence toute illusion, si tant est que j'eusse espéré quelque compassion de sa part — à cet égard, du moins.

– Oh ! de l'argent, oui ! L'argent, ce n'est pas ce qui manque ! Ce qui manque, c'est la matière première. La société est en rupture de stock. Comment appelle-t-on cela, déjà, docteur Marlowe ?

J'enchaînai sans attendre sa réponse :

– Ah oui ! je sais : l'amour ! Nous nous sommes retrouvés à court d'amour et, comme il n'y avait nulle part où en acheter, nous avons été obligés de mettre la clef sous la porte.

« Et, maintenant, les associés se battent pour les acquêts et le capital. Or, il se trouve que j'en fais partie. Chacun d'eux veut être sûr de ne pas être lésé, vous comprenez ? D'avoir sa “part du gâteau”, en d'autres termes. Enfin, peut-être plus que sa part, en fait. Comme cela, elle ou il pourrait crier victoire. Et puis, ce serait une façon comme une autre de se dédommager de toutes ces années perdues à essayer de faire tourner l'affaire.

« C'est pourquoi, mes chères sœurs — ou consœurs du COAP, comme dirait

Misty —, je me retrouve devant une cour de justice, où les détails les plus intimes de ma vie privée sont publiquement exposés, étiquetés "pièces à conviction" et étalés sur des tables pour être offerts en pâture à une brochette d'avocats, de sociologues et de psychiatres. Avez-vous la moindre idée de ce que c'est que de devoir répondre à des questions on ne peut plus personnelles dans le bureau d'un magistrat, avec un greffier qui prend en note chaque mot que vous prononcez et un juge qui vous scrute avec des rayons laser à la place des yeux ? leur demandai-je, élevant la voix.

Misty secoua la tête ; Star me dévisagea d'un air incrédule et Cat se mordit la lèvre, opinant discrètement. Peut-être était-elle passée par là, elle aussi ? Nous n'allions pas tarder à le découvrir, de toute façon.

– Je savais que les choses allaient de mal en pis, bien avant le divorce, mais je suppose que je ne voulais pas regarder la vérité en face — ce qui m'aurait obligée à envisager la possibilité d'un divorce —, ou que je ne pensais pas qu'ils iraient jusque-là à cause de la perte de temps et d'argent que cela représentait. Ils continueraient à vivre ainsi, alternant trêves et batailles jusqu'à ce que, de guerre lasse, l'un ou l'autre finisse par accepter de transiger.

« Il est, cependant, une chose que l'on ne peut certes pas leur retirer : ils ont toujours veillé à conserver les apparences. Et cela, jusqu'à l'ultime moment où l'avocat de mon père a remis à ma mère une copie de la demande de divorce. Ils se mettaient sur leur trente et un : mon père, dans l'un de ses élégants smokings ; ma mère, dans une de ses robes haute couture avec rivière et pendants d'oreilles de diamants, et allaient même jusqu'à se complimenter mutuellement. Puis ils partaient, peut-être pas bras dessus bras dessous, mais ensemble, de telle sorte que tout semblait allait pour le mieux dans le meilleur des mondes. Il leur suffisait de se dire combien cette soirée était importante pour sa carrière à lui ou sa carrière à elle et ils coopéraient sans discuter, comme s'il était stipulé, dans les conventions du conflit, que l'on devait coûte que coûte épargner la vie professionnelle de l'ennemi.

« C'est bizarre. Chacun continue à louer

les qualités de l'autre — quand ils s'entretiennent avec une tierce personne, tout au moins. Pas plus tard qu'hier, j'ai entendu ma mère vanter les talents de mon père et l'excellence de ses réalisations, et mon père ne tarit pas d'éloges sur l'exceptionnelle femme d'affaires qu'est ma mère. Je suppose qu'ils veulent prouver, à eux-mêmes et aux autres, qu'ils avaient tout lieu d'être grugés : qui n'aurait pas voulu de ma mère pour femme et de mon père pour époux ? C'est ce qui s'appelle se haïr cordialement, conclus-je, en secouant la tête. Ils se tirent dessus par avocats interposés, mais... toujours avec le sourire.

– L'avocat de ton père a remis la demande de divorce à ta mère ? Où donc ? me demanda Cat.

– Qu'est-ce que ça change ? lança Star, avec son insolence coutumière.

Je pensais, quant à moi, que c'était une excellente question parce que le moment où l'on reçoit effectivement de tels documents relève, pour le récipiendaire, d'un véritable traumatisme. Je commençais à m'interroger plus sérieusement sur ce qu'avait vécu Cat et sur ce qui s'était passé entre ses parents.

– À dire vrai, il la lui a juste fait parvenir par lettre, à la maison, répondis-je. Elle l'a trouvée dans sa pile de courrier personnel — à son nom de jeune fille, je veux dire.

– Qu'est-ce qu'elle a fait ? s'enquit Star.

– Rien de particulier. Du moins, pas ce soir-là. Vous n'auriez pas pu soupçonner une seule seconde qu'il se passait quoi que ce fût d'anormal. Rappelez-vous ce que je vous ai dit à propos de la faculté qu'a ma mère de toujours sauver la face. Elle peut perdre, mais elle ne s'avouera jamais vaincue.

« Nous étions donc à table, tous les trois. J'ai mémorisé les moindres détails de ce... — comment appeler cela ? la Cène ? — disons de ce Dernier Repas, bien que nous ayons continué à dîner ensemble par la suite. Nous allons même sans doute dîner ensemble ce soir. Mais ce fut le dernier dîner pendant lequel ils ont feint de se soucier encore suffisamment d'eux-mêmes et de moi pour tenter de garder le mariage sur les rails.

« Je me souviens : au menu, il y avait du poulet Kiev accompagné de riz sauvage. Ma mère avait choisi le vin : un chardonnay importé de France. Et, comme dessert, nous avions une tarte Tatin avec une boule de glace à la vanille.

– On se croirait au restaurant ! railla Star.

– Cela vaut largement n'importe quel restaurant — ceux dans lesquels je suis allée, en tout cas. Et j'en connais plus d'un, tant à New York qu'ici, ou même à Londres.

– Tu es allée à Londres ! s'extasia Misty.

– Bien sûr. Nous étions censés aller à Paris, cette année. Mère soutient que nous irons tout de même, mais sans mon père, évidemment. Mon père prétend, quant à lui, qu'il m'emmènera lors de son prochain voyage d'affaires en Europe. Il a fait monter les enchères en ajoutant Madrid au programme. Mère en est, pour le moment, à Paris, Madrid et Venise. Mais, pour l'heure, les réservations sont en attente. Tout déprendra de l'issue du divorce, des conditions financières dans lesquelles l'affaire sera conclue, de qui obtiendra la garde, etc.

Elles avaient toutes recommencé à me regarder comme une bête curieuse, avec ces grands yeux écarquillés et ce stupide air ébahi.

– Bien. Revenons-en au Dernier Repas, enchaînai-je. Comme je le disais, vous n'auriez jamais pu deviner qu'il se passait quelque chose. Mon père parlait de son nouveau projet et ma mère se targuait d'être invitée à déjeuner, le lendemain, par le P-DG de sa société. Ils ont un peu parlé politique. Mon père est plus conservateur que ma mère, mais, parfois, je pense que ma mère le contredit par jeu ou par pure provocation : pour le simple plaisir de le contredire. Vous voyez ce que je veux dire ?

– Oh oui ! s'exclama Misty.

– Non, grogna Star.

Cat secoua la tête.

– Mes parents ne parlaient jamais de politique, dit-elle.

– Au cours du Dernier Repas, mon père se plaignit du mauvais travail des jardiniers, qui avaient massacré les haies, et annonça qu'il envisageait sérieusement de faire appel à une autre entreprise à même de prendre en charge tout l'entretien de la propriété, tandis que ma mère déclarait qu'il fallait acheter de nouveaux transats pour la terrasse. Avec ce genre de sujets de discussion, comment vouliez-vous que j'aie suspecté quoi que ce soit ? J'étais là, mangeant machinalement, perdue dans mes pensées, retranchée dans ma bulle privée, comme d'habitude, la tête pleine de projets pour le lendemain.

« Quand le dessert a été servi, ma mère, d'un ton aussi détaché que si elle parlait toujours de meubles de jardin, annonça qu'elle avait reçu des papiers envoyés par Arnold Klugman. Je savais, pour l'avoir déjà rencontré, qu'Arnold Klugman était leur avocat.

« Sans sourciller, mon père lui répondit : "Bien."

« Ma mère dit : "Je demanderai à Sheldon Fishman de l'appeler demain matin.

« – Tu prends Sheldon Fishman ? lui demanda mon père, d'un ton morne qui ne dénotait pas le plus vif intérêt.

« – Judith Milner l'a engagé et en a été très satisfaite", répondit-elle.

« Il hocha la tête et retourna à son dessert. Quand Mame Caron vint nous demander si tout allait bien, il lui fit compliment de sa cuisine et elle le remercia. Après dîner, je suis montée dans ma chambre pour étudier — j'avais un devoir d'anglais le lendemain — sans me douter le moins du monde de ce qui se passait. Je ne m'étais jamais beaucoup intéressée à leurs affaires, avant. Pourquoi aurais-je dû commencer, maintenant ?

– Quand as-tu appris ce qui se passait vraiment entre eux ? me demanda Misty.

– Deux jours plus tard. C'était au tour de ma mère de venir me chercher après mes répétitions à l'Académie de musique. Mon père avait pris l'avion pour Denver et ne devait rentrer que le lendemain. Les mères de mes camarades étaient venues nous chercher à tour de rôle, toute la semaine, et c'était à présent à mes parents de s'en charger. Ce système de covoiturage rendait difficile l'envoi d'un taxi et la limousine aurait franchement été *too much*.

« Je me souviens que cela agaçait prodigieusement ma mère et qu'elle était constamment au téléphone, aboyant des ordres à ses employés. Nous avons déposé les autres chez elles, puis elle a emprunté l'allée qui mène à notre propriété, tout en continuant à parler au téléphone. Je suis sortie de la voiture, m'apprêtant à regagner la maison, quand elle m'a interpellée.

« Elle a achevé sa conversation, puis elle est sortie à son tour de la voiture, a croisé les bras et s'est mise à faire les cent pas, les yeux au plancher. Ses talons cliquetaient comme des pièces tombant sur le dallage noir. Je n'avais pas la moindre idée de ce qui m'attendait. Le ciel se couvrait et j'avais hâte de rentrer pour m'abriter de la pluie qui s'annonçait. Je voulais appeler une copine à propos de Jeremy Brian, un garçon qui semblait s'intéresser à moi. C'est dire à quel point j'étais inconsciente de la guerre qui se préparait !

« "Tu sais que ton père et moi ne nous entendons pas, Jade", me dit finalement ma mère, en rejetant d'une chiquenaude une mèche en arrière, comme s'il s'agissait d'une agaçante petite mouche vrombissant à son oreille.

« Je me suis dit : *Et alors* ? Je n'avais pas particulièrement remarqué que leurs rapports s'envenimaient, ces derniers temps. Mais peut-être n'y prêtais-je plus guère attention ?

« "Les choses se sont encore aggravées,

dernièrement, a-t-elle ajouté. Il a ses petites idées bien arrêtées et cette propension à l'intransigeance… Enfin bref, je ne peux plus le supporter. Nous avons donc tous les deux pris conseil auprès de nos avocats respectifs pour tenter d'y remédier."

« Mon cœur se mit à battre la chamade quand je réalisai que c'était le sujet qui avait alimenté leur conversation à table, l'avant-veille.

« "Qu'est-ce que cela signifie, au juste ? lui demandai-je.

« – Je tiens à ce que tu saches que nous allons entamer une procédure de divorce", me répondit-elle. Elle me jeta un bref coup d'œil et ajouta : "Il ne s'agit pas d'un divorce pour faute, mais pour simple incompatibilité d'humeur." Avant que je n'aie pu répondre, le téléphone sonna et elle prit l'appel.

« Je n'attendis pas la suite. Je rentrai et courus me réfugier dans ma chambre. Là, je m'assis sur mon lit, le regard rivé au mur, me demandant comment une chose pareille pouvait m'arriver, à moi. Qu'était-il donc arrivé à cette merveille de perfection qu'était mon univers ? Où était donc passée ma bulle protectrice ? Je pensais, bien sûr, à l'embarras dans lequel cette situation allait me plonger, mais j'étais aussi très effrayée, comme un oiseau qui vole, qui vole et qui se rend compte, tout à coup, qu'il a perdu toutes ses plumes et que, d'un instant à l'autre, il va s'écraser.

« Ma mère a fini par rentrer, mais seulement pour me crier, du bas de l'escalier, qu'elle me reparlerait plus tard, qu'elle devait retourner à son bureau pour assister à une réunion importante. Elle m'a lancé : “Ne t'inquiète pas. Tout ira bien. Je m'occuperai de toi.”

« S'occuper de moi ? Elle ? Je faillis éclater de rire. Mais, au lieu de verser dans l'hystérie, je restai assise là, à pleurer.

« Pour moi, il ne faisait aucun doute que la véritable raison qui avait poussé mes parents au divorce était toute différente : l'un des deux était tombé amoureux de quelqu'un d'autre et sa liaison extraconjugale avait été découverte. J'imaginais même qu'il s'agissait d'une personne avec laquelle il ou elle travaillait. Il m'est souvent arrivé de souhaiter, par la suite, que cela ait été le cas. Cela, tout au moins, je pouvais le comprendre, mais l'incompatibilité ? Comment deux personnes aussi intelligentes, aussi brillantes et cultivées que mes parents, qui, de plus, avaient été mariées si longtemps, n'avaient-elles pas pu se rendre compte, avant, qu'elles ne s'aimaient pas ? Cela n'avait aucun sens — et n'en a toujours pas, d'ailleurs.

– C'est exactement ce que je me suis dit à propos de mes parents, dit Misty.

– Je ne risquais pas de penser ça des miens, marmonna Star.

Cat se contenta de nous regarder l'une après l'autre en silence.

– Quand mon père revint de Denver, le lendemain, il était furieux qu'elle m'eût annoncé la nouvelle en son absence.

« J'étais déjà revenue du lycée. Ma mère était encore au bureau, quand mon père rentra. Il vint frapper à ma porte. Je me sentais encore sous le choc, comme assommée, et je m'étais juste laissée tomber sur mon lit. J'étais allongée là, les yeux ouverts, regardant fixement le plafond.

« "Bonjour ! me dit-il. Comment ça va ?

« – Super bien !" lui répondis-je.

« Je n'étais pas moins fâchée contre lui

que contre elle. Je leur en voulais à tous les deux d'avoir échoué. Vous savez...

Je marquai un temps.

– C'est quelque chose que j'ai bien envie de leur balancer, et depuis un bon moment déjà. Les parents attendent tellement de nous. Ils ont tant de demandes, d'exigences ou que sais-je encore. Nous sommes censés nous conduire correctement, être polis, brillants en classe, et veiller à ce qu'ils puissent toujours, en toutes circonstances, être fiers de nous, à ce que nous ne les mettions jamais dans l'embarras. Nous devons être sociables, respectueux et respectables. Cependant, eux peuvent se permettre de tout détruire, mariage, famille, réputation, et de nous traîner dans cette fange, tout cela pour satisfaire leurs propres desiderata ? Et ce, en toute impunité ?

« Qu'en dites-vous, docteur Marlowe ?

– C'est une question que vous me semblez en droit de leur poser, répondit-elle.

Star s'esclaffa.

– Maman et papa se sentiraient si mal, si je leur posais la question ! ironisa-t-elle. Il faudrait déjà que je les trouve et, ensuite, que je chope maman quand elle est encore assez claire pour comprendre ce que je lui dis !

– Moi aussi je me suis fait cette réflexion, avoua Misty. Je n'ai tout simplement pas eu le courage de la leur poser.

J'interrogeai Cat du regard, mais elle s'empressa de détourner la tête. *À quoi peut donc bien ressembler son histoire ?* pensai-je une fois de plus.

– Mon père n'a même pas relevé. Il ne s'est absolument pas rendu compte que j'étais en colère. Il avait sa propre colère à exprimer d'abord, dis-je, reprenant le fil de mon récit.

« “Nous étions censés faire cela ensemble, s'emporta-t-il. Mais cela ne m'étonne pas d'elle. Tout à fait son style d'avoir voulu prendre le contrôle de la situation. Mais ne t'inquiète pas. On en a pris acte”, m'assura-t-il. Il avait déjà commencé à tenir un journal dont son avocat pourrait se servir au tribunal.

Je soupirai, croisai les jambes et me calai de nouveau contre le coussin du canapé.

– Donc, dès le début, le divorce s'annonçait belliqueux. Et ce serait moi le champ de bataille. Soudain, moi, qui n'avais jamais été jusqu'alors qu'importune, je devenais subitement importante. Mais je ne m'en flattais pas, croyez-moi. Il m'est même arrivé de dire à mes parents qu'ils ne devraient pas m'aimer autant. À chaque fois, ils m'ont regardée d'un air interdit, avec, dans les prunelles, la plus parfaite incompréhension. Mais je suis convaincue qu'ils savaient pertinemment ce que j'entendais par là : on sait ce que l'on a enfoui au fond de son cœur.

« Ce soir-là, au dîner, le temps était à l'orage. Mais aucun ne voulait donner à l'autre la satisfaction de voir que l'ennemi avait été sévèrement ébranlé. Ils mangèrent comme quatre, juste pour se prouver l'un à l'autre que rien n'avait entamé leur bel appétit. Ni l'un ni l'autre ne remarquèrent que je n'avais pratiquement rien touché.

« Leur conversation se limitait au strict minimum et leur ton avait pris un petit accent formel que je ne leur connaissais pas entre eux. Mais, avant la fin du repas, ils se tournèrent tous les deux vers moi, me mitraillant brusquement de questions : comment cela se passait-il au lycée ? Et à l'Académie de musique ? Et comment se préparait ce bal, dont j'étais sûre qu'ils avaient complètement oublié l'existence jusqu'alors ? Quand l'un posait une question, l'autre renchérissait, demandant toujours plus de détails.

« Tout à coup, les voilà qui tentaient de m'impressionner par la profondeur et la sincérité de l'intérêt qu'ils portaient à ma vie et à mes préoccupations. J'aurais dû me douter, dès cet instant, qu'ils allaient se battre pour obtenir le droit de garde, mais, comme je l'ai déjà dit, je présumais que, s'ils allaient vraiment jusqu'au divorce, ma mère et moi resterions à la maison et mon père serait contraint de déménager.

« Tous mes camarades de lycée, qui avaient des parents divorcés, vivaient avec leur mère et rendaient régulièrement visite à leur père et, comme vous, aucun n'avait jamais vraiment parlé de la façon dont se passait un divorce. Ils avaient été bien mieux protégés des désagréments de l'instruction que je ne le serais moi-même.

« L'étape suivante, c'était la rencontre des deux avocats qui devaient s'entendre pour régler l'ensemble des questions soulevées par la procédure en cours. Ils les ont effectivement presque toutes réglées sauf une : moi. Or, la réponse à cette question aurait des répercussions sur tous les autres compromis qu'ils avaient réussi à trouver. C'est quand ils en sont arrivés à la question du droit de garde que la guerre a éclaté. Ma mère a été prise au dépourvu, je crois. Ce qui a ravi mon père, bien entendu. Quant à moi, j'ignorais encore tout de cet aspect du problème. Je n'entendais que des bribes de discussion au sujet des règlements financiers et de la bataille sur la communauté ou la séparation de biens. Dans la mesure où ma mère n'avait pas porté plainte pour mauvais traitements, mon père était autorisé à demeurer au lieu de résidence habituel du couple ; ce qui, pour l'heure, évitait tout au moins l'instauration d'un droit de visite et la planification nécessaire à son exercice.

« Mais un procès en bonne et due forme devrait avoir lieu pour que le juge décide qui, des deux conjoints, obtiendrait la garde de l'enfant. J'ai vite compris que mon opinion et les réponses que je ferais aux questions dudit juge joueraient un rôle primordial et que c'était pour cette raison, à l'exclusion de toute autre, que mes parents étaient subitement devenus si…

– Si quoi ? s'impatienta Misty.

Je la dévisageai un moment, pendant que les mots se bousculaient dans ma tête, attendant de trouver celui que je cherchais. Mais, voyons ! c'était l'évidence même !

– Si parents, répondis-je.

– Hein ?

– Une vraie maman et un vrai papa et pas deux associés de fonds de commerce, c'est ça qu'elle veut dire, lui expliqua Star.

– Exactement, acquiesçai-je, avec un sourire.

Je me tournai vers le Dr Marlowe. Elle avait l'air très satisfaite.

– Ça devrait te faire plaisir, non ? dit Misty.

Me doutant que ma réponse ne manquerait pas de l'intéresser, je regardai de nouveau le Dr Marlowe.

– Oui et non. J'apprécie certes l'attention dont je fais l'objet, mais il m'est extrêmement désagréable d'avoir à penser que je ne la dois qu'au désir de chacun de prouver à l'autre qu'il est meilleur que lui. C'est un peu comme manger quelque chose de bon mais de mauvais en même temps. Par exemple… par exemple, lorsque vous croquez dans votre glace favorite : la sensation de froid est telle que cela vous fait mal aux dents.

« Je crains que tout cela n'ait aucun sens pour vous, ajoutai-je, en constatant le regard incertain de mon auditoire. C'est bien pourquoi je ne voulais même pas commencer.

– Mais si, ça a du sens ! s'écria Misty, quêtant des yeux l'assentiment de Star.

– Bien sûr que oui ! renchérit celle-ci. Cat hocha la tête.

– Énormément de sens, souffla-t-elle, même si ccla peut paraître un peu déroutant.

– Pardon ?

– Mais c'est pour cela que nous sommes là, pour trouver comment vivre avec, poursuivit-elle.

Et, pour la première fois en trois jours, nous nous mîmes toutes à la regarder comme quelqu'un qui pouvait enfin nous apporter autre chose que sa timidité, sa peur et son mutisme.

Mais, avant que quiconque ait pu réagir, un bruit de pas pesant et de verres s'entrechoquant se fit entendre dans le couloir.

– Citronnade ! claironna Emma, en entrant dans le bureau de sa sœur, un plateau d'argent chargé d'une carafe, de cinq verres et d'une assiette de biscuits, dans les mains.

« Je... j'espère que je n'arrive pas trop tôt, docteur Marlowe, bredouilla Emma, manifestement terrifiée d'avoir interrompu la séance au mauvais moment.

Nous trouvions toutes plutôt amusant qu'elle s'obstine à appeler sa sœur « docteur Marlowe ». Misty avait émis l'hypothèse qu'Emma puisse être une patiente de sa propre sœur. Quant à moi, je pensais que c'était plutôt l'expression de quelque sombre conflit d'intérêts entre elles, ou quelque chose de ce genre.

– Non, tu es juste à l'heure, Emma. Merci.

Les joues rebondies d'Emma enflèrent comme des baudruches, tandis que ses lèvres s'arrondissaient autour d'un sourire en cerise. Elle posa le plateau sur la table basse et recula.

– Tout le monde semble si gai et si jovial, aujourd'hui. C'est une belle journée. J'espère que vous leur laisserez le temps d'en profiter un peu, docteur. Les jeunes filles ont besoin de soleil, récita-t-elle, comme s'il s'agissait d'une vérité première.

– Je n'y manquerai pas, Emma. Merci.

Emma hocha la tête, nous adressa un second sourire éclair et sortit. Je suis persuadée qu'à ce moment-là, nous nous sommes toutes demandé si c'était ainsi que nous finirions, nous aussi. Ses blessures étaient-elles plus profondes que les nôtres ? Et que se passerait-il si elles ne guérissaient pas, si elles ne se refermaient pas complètement, définitivement ?

Serions-nous toujours habitées par cette colère et cette même rancœur, craignant toujours l'échec d'une relation amoureuse, terrorisées en permanence de nous retrouver seules à jamais ? Il n'était pas nécessaire d'être psychiatre pour comprendre que c'était là le problème d'Emma : la solitude. C'était comme une maladie infectant son sourire, son rire et jusqu'à ses moindres mouvements.

– Servez-vous, mesdemoiselles, nous lança le Dr Marlowe, avant de se lever. Je reviens. Il faut que j'aille vérifier que tout est en ordre pour le déjeuner.

Elle sait parfaitement doser nos efforts, pensai-je. *Elle dispense ces pauses avec un discernement remarquable. Ce serait trop épuisant autrement.*

– Où habites-tu ? demandai-je à Cat, en me penchant pour prendre un petit gâteau sec et un verre de citronnade.

– À Pacific Palisades, répondit-elle, avant de mordiller son biscuit du bout des dents.

– Et où vas-tu au lycée ?

– Je vais dans un lycée catholique, dit-elle, rejetant ses cheveux en arrière.

– Tu t'es fait couper les cheveux, je vois.

Elle hocha la tête.

– Je l'ai fait moi-même.

– C'est mieux, la complimentai-je, mais tu devrais demander à ta mère de t'emmener chez Patty sur Rodeo.

Elle me regarda comme si je parlais chinois.

– Je veux dire Rodeo Drive, évidemment, le must pour ce qui est des boutiques de luxe, lui expliquai-je. Tu sais, si tu t'en remettais aux conseils d'un bon visagiste, je suis sûre que tu n'aurais plus ce côté un peu poupon.

– Et qu'est-ce qui te fait croire qu'elle trouve son visage « poupon » ? Peut-être qu'elle se trouve très bien comme ça, elle, me rétorqua Star.

– Je voulais juste l'aider.

– Il arrive que les gens en fassent un peu trop, dans le genre secourables, tu vois.

– C'est ridicule. On n'aide jamais assez.

– Les gens qui fourrent toujours leur nez dans les affaires des autres en font trop, me répliqua-t-elle.

– Je ne suis pas d'accord. Je ne « fourre mon nez » dans les affaires de personne. Je la fais bénéficier de ce que j'ai appris et de ce dont j'ai moi-même fait l'expérience.

– Qui te dit qu'elle en veut, de tes conseils ? Tu t'es déjà posé la question, seulement ?

– Bien sûr qu'elle en veut, n'est-ce pas Cathy ? dis-je, en me tournant vers l'intéressée avec, dans les yeux, un regard si insistant qu'il en devenait presque implorant.

Mais Cat semblait au bord des larmes.

– Ne vois-tu pas que tu lui fais subir, à

elle, ce que tes parents te font subir à toi ? me tança Misty.

– Pardon ?

– Tu la pousses à prendre parti, malgré elle.

Je demeurai un moment interdite, à la dévisager, puis me calai dans le canapé. Star me fusillait du regard pendant que Cathy picorait paisiblement son biscuit, en rivant les yeux à son verre.

À dire vrai, Misty n'avait pas tort. J'avais perçu dans ma propre voix quelque chose qui me rappelait la manière dont mes parents me parlaient depuis quelque temps, cette façon de quémander mes suffrages contre l'autre camp.

– Elle a raison, je suis désolée, murmurai-je à l'intention de Cathy. Je voulais sincèrement t'aider. Je ferais sans doute mieux d'apprendre à tenir ma langue.

– Amen, lâcha Star.

– Tu n'es pas parfaite non plus, ripostai-je.

– Ah non ? Seigneur ! Et moi qui croyais, vu ma merveilleuse vie de famille et mon éducation hors pair, que j'étais une sainte !

Misty s'esclaffa.

J'en fis autant, juste au moment où le Dr Marlowe franchissait la porte.

– Eh bien, dit-elle, je suis ravie de voir que tout le monde s'entend si bien.

Ce qui nous fit toutes éclater de rire. Même Cat.

3

– Du jour où mes parents décidèrent de se déclarer la guerre pour obtenir ma garde, toutes ces belles pièces finement sculptées qu'ils déplaçaient avec art sur l'échiquier policé du divorce se métamorphosèrent subitement en poignards acérés qu'ils allaient, désormais, constamment chercher à se planter dans le dos, à la moindre occasion. En d'autres termes, les choses ne cessèrent de s'envenimer jusqu'à ce qu'ils en arrivent, bientôt, à ne plus s'adresser la parole — ou, du moins, jamais directement. Cette bienséante civilité, dont ils avaient, jusqu'ici, réussi à maintenir toutes les apparences, ne tient plus, aujourd'hui, qu'à un fil. Mon Dieu ! Que vais-je devenir ? m'écriai-je avec la voix d'une Belle du Sud, telle Scarlett O'Hara dans *Autant en emporte le vent*.

Misty s'esclaffa.

– Parfois, si par malheur je me trouve dans la même pièce qu'eux, ma mère en profite pour me lancer quelque chose comme : « Jade, pourrais-tu, s'il te plaît, informer ton père que nous avons un problème avec l'incinérateur d'ordures ménagères. » Mon père répond alors d'un ton bourru : « Dis-lui que je le sais déjà et que je m'en occupe. »

– Donc, en fait, tu n'as même pas besoin d'ouvrir la bouche, c'est ça ? conclut Misty.

– Exactement. Je suis comme une sorte de filtre au travers duquel les paroles qu'ils échangent doivent passer. Je ne crois pas avoir jamais été obligée de leur répéter la moindre syllabe. Tant que les répliques me sont adressées, ils s'estiment satisfaits.

– Je ne supporterais pas ça longtemps, s'insurgea Star. Je sais que c'est lamentable quand ils se crachent leur haine à la figure, mais j'aime encore mieux ça que de jouer les tampons au milieu.

– Nous sommes bien d'accord, approuvai-je. La semaine dernière, un soir qu'ils avaient ce genre de conversation — autrement dit : qu'ils se servaient de moi pour se renvoyer la balle —, je me suis brusquement mise à hurler, en me plaquant les mains sur les oreilles : « Mais laissez-moi tranquille ! Cessez donc de me jeter toutes vos ordures à la tête ! Je ne suis pas une poubelle ! »

« J'ai cru que j'allais littéralement m'arracher les cheveux. J'avais les joucs en fcu, j'étais écarlate, en nage je n'aurais pu être plus mal si j'avais eu la fièvre. Pensez-vous qu'ils se sont souciés de moi ? Bien sûr que non ! Savez-vous ce qu'ils ont fait ? Ils ont recommencé à s'invectiver :

« "Regarde ce que tu lui fais ! s'est exclamé mon père.

« – Moi ? Mais c'est toi ! a riposté ma mère. C'est toi qui nous as tous plongés dans ce ridicule imbroglio juridique. Peux-tu vraiment croire une seule seconde que n'importe quel juge sain d'esprit te confierait la garde d'un enfant ?

« – S'il est sain d'esprit, je ne vois pas comment il pourrait faire autrement", a rétorqué mon père.

« J'ai tourné les talons, puis j'ai couru me réfugier dans ma chambre. Je les ai encore entendus s'agonir de reproches pendant quelques minutes, puis l'orage s'est calmé. Le grondement du tonnerre s'est peu à peu éloigné jusqu'à ce qu'il ne reste plus que le ploc, ploc, ploc de mes larmes.

– Je me demande comment ils peuvent faire pour continuer à vivre sous le même toit, soupira Misty, en secouant la tête.

– Il dort où, ton père, maintenant ? me demanda Star.

– Dans une des chambres d'amis. Encore un exemple des multiples problèmes qui se sont abattus sur la maison, depuis le début de cette histoire : un après-midi, mon père m'a demandé de l'aider à transporter ses vêtements dans sa nouvelle chambre. J'aurais préféré ne pas prendre part à cette scène pitoyable, mais je ne voyais pas comment j'aurais pu le lui refuser. Certes, il en a profité pour critiquer maman, accumulant les griefs contre elle, au fur et à mesure du déroulement de l'opération, mais il n'y avait vraiment pas de quoi en faire un incident diplomatique. Quand ma mère est rentrée et qu'elle m'a vue lui prêter main-forte, elle est devenue complètement hystérique.

« “Comment peux-tu aider cet… cet homme ? m’a-t-elle craché, d’une voix suraiguë. Tu prends donc son parti contre moi, c’est cela ?

« – Je ne fais que porter quelques vêtements et quelques-unes de ses affaires personnelles”, lui ai-je posément répondu.

« Ce fut ce soir-là que, se sentant menacée, peut-être, elle décida subitement de m’inviter à dîner et qu’inconsciente du danger, j’acceptai de me prêter à ce qui allait devenir l’inoculation du poison.

– *Du poison* ! s’écria Cat, avant de se mordre la lèvre, jetant un regard coupable vers Misty et Star, comme si elle venait de leur voler leur réplique.

Se méprenant sans doute sur le sens de sa réaction, Misty s’empressa de la rassurer :

– Elle ne veut pas dire par là que sa mère et elle ont mis du poison dans la nourriture de son père ou quelque chose comme ça, lui expliqua-t-elle.

Puis, elle sembla réfléchir un instant ; son regard se troubla et, avant que je n’aie pu répondre, elle se tourna vers moi.

– Du moins, je pense. N’est-ce pas ?

– Bien entendu. Quoique j'en sois parfois venue à me demander si ce n'était pas la suite logique prévue au programme. Non, le genre d'empoisonnement auquel je faisais allusion est d'un autre ordre : il s'agit seulement d'instiller dans mon cerveau des pensées venimeuses, comme des graines de haine que mes parents sèmeraient dans ma tête. C'est la façon dont ils me traitent, ces temps-ci : comme un jardin de haine.

« Toujours est-il que je ne parvenais pas à me souvenir que ma mère eût jamais voulu m'emmener déjeuner ou dîner en tête à tête pour jouir d'un vrai moment de complicité avec moi. Oh ! j'allais souvent faire les magasins avec elle et il n'était pas rare que nous nous retrouvions, pour finir, autour d'une table. Mais, la plupart du temps, elle conviait une de ses amies à déjeuner avec nous, ou alors elle ne parlait que d'elle et de sa carrière. Cela n'avait vraiment rien d'une conversation mère-fille telle que l'on peut l'imaginer.

« C'est curieux mais, quand elle m'a demandé de sortir dîner avec elle, ce soir-là, je me suis surtout sentie mal à l'aise vis-à-vis de mon père. Je n'ignorais évidemment pas que c'était là une manœuvre d'exclusion caractérisée et je ne pouvais m'empêcher de l'imaginer tout seul à la maison, assis à cette grande table, avec toutes ces chaises vides, pendant que Mme Caron lui servait un de ses délectables repas.

« Ma mère réserva une table dans l'un des restaurants les plus chers de Beverly Hills et me demanda de mettre une tenue habillée parce que nous nous rendions "dans un endroit élégant".

« "J'ai harcelé ton père des mois durant pour qu'il m'emmène dans ce restaurant, avant que nous n'entamions cette procédure de divorce, mc dit-elle, à peine le seuil de la maison franchi.

« – Pourquoi ne t'y a-t-il pas emmenée ? lui demandai-je.

« – Pourquoi ? C'est à lui qu'il faudrait le demander, et je suis persuadée qu'il trouverait quelque mauvaise excuse : que c'était moi qui étais toujours trop occupée, par exemple, ou quelque chose d'aussi spécieux."

« Elle se tourna vers moi et me sourit.

« "Tu es resplendissante, me complimenta-t-elle. J'aime beaucoup ta coiffure et je suis contente de t'avoir acheté ce fourreau Tom Ford. Il met vraiment ta silhouette en valeur."

« Je ne savais plus que dire. Ma mère n'avait jamais autant discuté mode et coiffure avec moi. Pour ne rien vous cacher, c'est toujours moi qui choisissais ma garde-robe en allant faire du shopping avec mes amies. Quand je faisais les magasins avec ma mère, elle ne me laissait jamais le temps d'essayer quoi que ce fût. Il fallait en finir au plus vite. Elle est toujours très élégante, mais elle considère le shopping comme une perte de temps. Elle m'a certes conseillée quant à ma façon de me maquiller — parce que c'est son domaine et qu'en tant que directrice des ventes d'une société de cosmétiques, elle est experte en la matière —, mais toujours en s'adressant à moi comme si j'étais une responsable des achats ou une simple cliente dans un grand magasin.

« "Évidemment reprit ma mère, s'appesantissant lourdement sur le sujet de ma robe, en dépit de l'envie folle que tu en avais, ton père ne voulait pas que je te l'achète. Il pensait qu'elle était beaucoup trop chère pour une fille de ton âge.

« – Je ne m'en souviens pas, lui répondis-je.

« – Oh si, si ! C'est vrai. J'ai dû la payer de ma poche, avec mon propre salaire. Je te montrerai le talon du chèque, si tu veux, insista-t-elle. Mais cela n'a rien de surprenant : la majorité des jolies choses que tu as, c'est à moi que tu les dois. S'il y a un grippe-sou dans cette famille, ce n'est pas dans ma direction qu'il faut chercher. Il a hérité ce… cette frilosité de ses parents. Tu sais ce que c'est, quand il s'agit d'obtenir un cent de Grand-père et Grand-mère Lester. Tu n'as qu'à voir les cadeaux qu'ils te font pour ton anniversaire ! La plupart des grands-parents auraient, depuis longtemps déjà, placé de l'argent sur un compte rémunéré avec un bon intérêt.

« – Mais, lui fis-je observer, ils ont d'autres petits-enfants.

« – Et alors ? Crois-tu donc qu'ils soient plus généreux avec tes cousins ? Que vont-ils en faire, de leur argent ? L'emporter avec eux dans la tombe et le dépenser dans l'autre monde ? Tu sais ce qu'ils nous ont donné comme cadeau de mariage ? Un bon d'épargne de cinq cents dollars ! Oui, oui, gloussa-t-elle, un bon d'épargne ! Je suis sûre qu'il est encore au coffre. J'ai d'ailleurs encore droit à la moitié de ce trésor et, crois-moi, je l'aurai. S'il essaie seulement de sortir ne serait-ce qu'un cent du coffre...", marmonna-t-elle, les lèvres presque exsangues, grimaçant sous l'emprise de la colère. Puis, soudain, elle se retourna vers moi, avec un sourire radieux.

« "Oh ! Mais je ne veux pas que tu te fasses du souci à propos des questions d'argent, Jade. Nous n'allons pas nous retrouver sans le sou, comme tant de pauvres femmes et enfants du divorce, m'assura-t-elle. Le fait est que j'ai un meilleur avocat que lui. Je suis bien placée pour le savoir : Arnold a été mon avocat, à moi aussi. Il n'a pas l'expérience du mien, ni son habitude du barreau. Pour ne rien te cacher, je suis même étonnée que ton père n'ait pas cherché un avocat spécialisé dans les affaires de divorce, un expert, comme le mien, qui obtiendra ce que je veux et protégera ce que tu as.

« – Je ne pense pas que papa veuille me spolier de quoi que ce soit", ai-je eu le malheur de répliquer.

« J'ai cru que ses yeux allaient exploser.

Ma mère est une femme très séduisante. Elle a les cheveux légèrement plus foncés que les miens et les coiffe avec un petit cran sur le front, comme ces actrices des années quarante, à la Veronica Lake. Ses yeux sont d'un beau bleu-vert — plus vert que bleu quand elle est en colère. Je sais qu'elle est belle pour avoir remarqué, chaque fois que nous allions quelque part ensemble, la façon dont les hommes se retournaient et cette expression avec laquelle les femmes la regardaient et qui semblait dire : "Ah ! si seulement je pouvais être comme elle !"

« Elle ne fait rien de particulier pour garder la ligne. En tant que membre VIP du country club le plus huppé de la région, elle pourrait profiter de leur centre de remise en forme, mais elle affirme que travailler beaucoup, être constamment sur la brèche et surveiller son alimentation lui suffisent amplement.

« Elle est un peu plus petite que moi, mais, si elle avait eu sept ou huit centimètres de plus, je suis convaincue qu'elle aurait pu devenir mannequin — non pas qu'elle l'eût souhaité, d'ailleurs.

– Pourquoi ? s'enquit Star.

– Elle estime que les mannequins ne sont guère que du bétail, qu'elles sont moins respectées des hommes que les autres femmes et ce, quel que soit le montant de leurs cachets. En outre, leur succès est éphémère et leur vie professionnelle très brève. Alors que l'apparence ne détermine en rien la durée d'une carrière de femme d'affaires, pas plus que la rapidité de son ascension vers le sommet de la hiérarchie.

– Comme si on allait croire ça ! marmonna Star.

– Croire quoi ?

– Que l'apparence ne compte pas. Elle compte toujours.

Je jetai un coup d'œil à Cat, mais, aussi longtemps que dura ma discussion avec Star, notre chaton apeuré garda les yeux baissés.

– Si tu as des compétences et du talent, tu iras toujours là où tu veux, là où tu mérites d'aller, lui rétorquai-je.

– C'est toujours à celles qu'ils trouveront les plus jolies que les hommes donneront une promotion en premier, s'entêta Star.

– Qu'en sais-tu ? Tu n'as jamais travaillé

ni évolué dans le monde des affaires, que je sache.

– Je sais ce que veulent les hommes, me répondit-elle sèchement.

– Oh ! je t'en prie !

Je me tournai vers Misty, laquelle se contenta de hausser les épaules. D'après ce qu'elle nous avait raconté, je savais que sa mère n'avait jamais travaillé : elle ne pouvait pas savoir non plus.

– Tu regardes trop de feuilletons à la télévision ! persiflai-je.

– De feuilletons ? s'exclama Star, en riant. La moitié du temps, la télé ne marche pas et, quand elle marche, Rodney est scotché devant pour voir ses dessins animés. On n'a qu'un poste, à la maison, ajouta-t-elle. Je parie que tu en as au moins cinq.

Je procédai à un rapide calcul : nous en avions sept. Mais je ne crus pas nécessaire de le préciser.

– Ma mère, repris-je, décidant d'ignorer l'interruption, n'est pas de ces femmes que la colère irradie et embellit. Au contraire, elle devient… terrifiante — pour moi, du moins.

« "Crois-moi, s'écria-t-elle, ton père ne

se préoccupe pas de savoir ce qu'il te restera après le divorce. C'est lui l'initiateur de cette procédure : il avait déjà tout planifié. Tu peux être sûre que toi et moi ne figurons pas au rang de ses priorités. Pourquoi crois-tu donc qu'il s'acharne tellement à obtenir le droit de garde ? Pour veiller à ton éducation, subvenir à tes besoins ? Certainement pas ! C'est un joker dans son jeu, une simple technique de négociation, en réalité.

« – Qu'est-ce que cela veut dire ?" lui demandai-je.

« Elle hocha la tête en silence, avec un petit sourire cynique, puis se tourna vers moi.

« "Il me croit moins intelligente que lui. Les hommes font très souvent cette erreur. Mais j'ai traité des négociations au plus haut niveau avec nombre d'adversaires masculins. Je sais ce qu'ils pensent. Je connais leur stratégie et toutes leurs tactiques", répondit-elle.

« L'idée même qu'elle puisse employer le mot d'"adversaire" pour parler de mon père me hérissa. Mais il était clair que c'était ce qu'il était désormais devenu pour elle, un adversaire et rien de plus.

« “Il croit que, s’il va jusqu’au bout de ce projet ridicule : s’il saisit effectivement le juge pour obtenir ta garde et que nous nous retrouvons devant un tribunal, je me plierai à ses exigences financières et minorerai les miennes, poursuivit-elle d’un ton méprisant.

« – Mais je croyais que toutes les questions d’argent étaient déjà réglées ou presque, m’étonnai-je.

« – Elles le seraient, s’il n’y avait eu cette petite anicroche”, me répondit-elle. Une “anicroche”, voilà ce que j’étais devenue, une “anicroche”

« “Je ne comprends pas, insistai-je.

« – C’est simple : il gagne plus que moi et, de cela aussi, je veux ma part, m’expliqua-t-elle. J’y ai droit, de toute façon. Il y a également d’autres biens qu’il estime posséder en propre — à tort, bien entendu. Et puis, il y a la question de la maison. Enfin ! tout cela finira par se régler. Mais, en attendant, le voilà qui se lance dans ce nouveau petit jeu.

« – Et que suis-je, moi, dans tout cela, au juste ? Un pion sur un échiquier ? m’indignai-je.

« – Exactement ! s’écria-t-elle, ravie. Je

suis contente que tu comprennes. Je savais que tu comprendrais. C'est bien pourquoi nous devons désormais agir plus en sœurs qu'en mère et fille, des sœurs défendant la même cause, liguées par cette même haine des hommes égoïstes qui veulent nous rabaisser."

« Intérieurement, je me disais qu'elle aussi me traitait comme un pion sur un échiquier, mais j'ai préféré me taire. J'avais trop peur que sa fureur ne nous mène tout droit au fossé.

« Dès que nous sommes arrivées au restaurant, ma mère redevint la femme que j'avais toujours connue. Elle prétendait m'avoir amenée là pour avoir une conversation complice avec moi, mais elle passa la majeure partie de son temps à parler à des hommes et femmes d'affaires qu'elle fréquentait dans le cadre de son travail. Entre deux rencontres, il fallait, de surcroît, qu'elle m'explique qui étaient tous ces gens et pourquoi il était si important de les "cultiver", pour reprendre son expression.

« Quand me "cultiverait"-elle, moi ? me disais-je.

– Pourquoi tu ne lui as pas demandé

directement, au lieu de te torturer les méninges ? s'enquit Star.

– Je ne sais pas. Mais tu as raison, bien sûr. J'aurais dû attaquer le problème de front, la mettre en face de ses responsabilités. Et, pourtant, je n'en ai rien fait. J'ai mangé, écouté et, peu à peu, je me suis sentie dériver, comme si je devenais… l'ombre de moi-même, au sens littéral du terme. Voilà l'effet qu'a ce divorce sur moi : il me rend invisible. Ils ont beau surenchérir l'un l'autre sur la place que je tiens dans leur vie, répétant à l'envi combien je suis importante, je disparais.

« De temps à autre, ma mère revenait à notre crise familiale, vitupérant mon père, comme si elle se rappelait subitement, comme par inadvertance, qu'elle était au beau milieu d'un procès qui allait briser son couple et son foyer. Elle but plus que je ne l'avais jamais vue boire. D'habitude, elle se contentait d'un martini ; mais, ce soir-là, elle était allumée comme une enseigne de Broadway, affichant sa colère, sa détermination et sa fierté ; alors elle en but un deuxième et la moitié d'un troisième.

« On n'avait pas encore servi le dessert

que déjà son regard me semblait flou et ses paupières anormalement lourdes. Elle était si bizarre, tout à coup : silencieuse, les yeux rivés aux miens. C'est alors qu'elle me prit brusquement la main.

« "Jade, me dit-elle, soudain, l'œil humide, nous devons nous serrer les coudes dans cette affaire. Tu ne peux pas imaginer ce que j'ai vécu ces dernières années. Ton père est si différent de l'homme que j'ai épousé. Il est devenu complètement égocentrique, obsédé par son travail : rien d'autre ne compte pour lui, ni toi ni moi, rien…"

« Elle se tut pour prendre une profonde inspiration et poursuivit : "Mon avocat va vouloir s'entretenir avec toi très prochainement. Je tiens à ce que tu te montres coopérative : que tu répondes à toutes ses questions aussi précisément que tu le peux, sans jamais perdre de vue ce que je viens de te dire.

« – Quel genre de questions ? m'alarmai-je.

« – Des questions sur notre vie, sur ta vie. Ce ne seront pas des questions difficiles. Contente-toi d'y répondre. Et n'oublie pas, Jade, au bout du compte, je serai toujours là pour toi."

« Je n'étais pas très rassurée à la perspective de rentrer en voiture avec elle. Je me disais qu'elle allait se faire arrêter pour conduite en état d'ivresse. Mais nous sommes arrivées saines et sauves à la maison. Dans l'entrée, elle me serra brusquement dans ses bras. C'était un geste qu'elle n'avait plus eu envers moi depuis des années.

« Cela m'a bouleversée. Je ne voulais pas la voir si triste, mais je ne pouvais pas haïr mon père non plus. Je regagnai ma chambre, le visage baigné de larmes. J'eus beaucoup de mal à m'endormir, cette nuit-là.

« En dépit de ses excès de la veille, ma mère se leva aussi tôt que d'habitude. Elle était même déjà partie quand je m'éveillai. Elle avait une réunion à San Francisco et avait dû prendre l'avion de bonne heure pour passer la journée sur place.

« Je n'avais pas envie de me lever pour aller au lycée. J'avais la tête si lourde et je m'étais tellement tournée et retournée dans mon lit, enchaînant cauchemar sur cauchemar, que j'étais épuisée. Je décidai donc de rester à la maison pour me reposer.

« On frappa bientôt à ma porte. Mon père entrebâilla le vantail pour hasarder un coup d'œil dans ma chambre.

« "Encore au lit ?" s'étonna-t-il. Il était tiré à quatre épingles : blazer, cravate, Weston, fidèle à son élégance coutumière.

« Mon père n'est pas seulement beau : il est… distingué, comme un sénateur ou un diplomate. Il fait à peu près un mètre quatre-vingt-cinq et il a juste cette petite touche argentée aux tempes qui, avec son teint perpétuellement hâlé, fait ressortir l'aigue-marine de ses prunelles.

« J'ai toujours admiré mon père. Je l'ai toujours vu comme quelqu'un de spécial, une célébrité, presque une star. On a souvent parlé de lui dans les journaux et nombre de magazines ont consacré des articles entiers à ses projets et à ses réalisations, avec une photo de lui pour illustrer leur propos. À mes yeux, il a toujours été de ces êtres forts auxquels tout réussit.

« C'était déjà une chose de le voir furieux et inflexible avec ma mère, mais c'en était encore une autre de le voir triste et abattu avec moi.

« Il est entré dans ma chambre et s'est assis sur mon lit, baissant la tête comme un drapeau en berne. Puis il a posé les coudes sur ses genoux et joint les mains. Il est resté ainsi, un long moment, à regarder fixement le plancher en silence.

« "Je suis désolé que tu sois obligée d'en passer par là, murmura-t-il. Je ne veux pas que tu cesses d'aimer ta mère pour autant, et, surtout, je ne veux pas que tu cesses de m'aimer moi. Je sais qu'elle a dû t'entreprendre pour te gagner à sa cause."

« Il leva les yeux vers moi, sans doute pour voir ses soupçons confirmés. J'ai préféré détourner les miens ; ce qui revenait à un aveu, ou presque.

« "Je connais sa façon de procéder, poursuivit-il. C'est cruel de sa part. Elle ne devrait pas agir ainsi. Mais elle n'est plus elle-même, ces derniers temps. Elle n'a plus qu'une seule idée en tête : l'emporter coûte que coûte, et elle est bien décidée à parvenir à ses fins. C'est tout ce qui compte pour elle.

« – Pourquoi ?" lui demandai-je.

« Il me dévisagea un moment, puis

hocha la tête, comme s'il venait de décider que j'étais en âge de comprendre, ou peut-être assez intelligente pour cela.

« "Pour je ne sais quelle raison, me répondit-il, quand elle entre en conflit avec moi, quand elle me bat, elle se sent davantage exister. C'est une façon de se rassurer. Cette rivalité qu'elle entretient à dessein lui procure une sensation de puissance. La victoire la grise et flatte son ego. Je ne peux pas te dire pourquoi elle éprouve de tels sentiments. Je ne crois pourtant pas avoir fait quoi que ce soit pour frustrer ses ambitions, n'est-ce pas ? Elle voulait un poste à responsabilité à plein temps ? Je lui ai dit : 'Parfait. Vas-y. Je ne me mettrai pas en travers de ton chemin. Je paierai des nounous, des domestiques et ferai tout ce qui sera nécessaire pour que tu puisses atteindre tes objectifs professionnels.'

« "Mais cela n'a pas suffi, non. Elle voulait plus, toujours plus. Elle voulait dominer. Tu connais les Mathews, enchaîna-t-il, faisant allusion à ses beaux-parents. Les portraits de son père et de sa mère sont juste à côté du mot *snob* dans le dictionnaire. Je ne t'ai jamais raconté comment ils m'ont traité, quand j'ai courtisé ta mère. Je débutais à peine et personne ne pouvait savoir si je ferais carrière ou non, évidemment. En outre, je ne venais pas du même milieu : ma famille n'avait pas un statut social suffisant pour eux. Encore aujourd'hui, ils pensent qu'en m'épousant ta mère s'est mésalliée.

« "C'est plus fort qu'elle. Elle tient cela de ses parents."

« Il me prit la main et me regarda droit dans les yeux.

« "Je ne veux pas que tu deviennes une Mathews, Jade, une snob, comme eux. Tu as bien plus de choses que n'ont la plupart des autres filles de ton âge, mais ce n'est pas une raison pour regarder qui que ce soit de haut et faire le deuil des belles amitiés sincères. Réfléchis, me dit-il, semant à son tour ses graines empoisonnées dans le jardin de haine, ta mère a-t-elle des amis ? de véritables amis ? Tous ceux qu'elle connaît et qu'elle fréquente, ces temps-ci, sont tout aussi snobs qu'elle, si ce n'est plus.

« "Je sais que, si je partais, si je te laissais vivre ici avec elle, tu deviendrais comme elle. Je ne permettrai pas cela, Jade.

« "Mon avocat va vouloir te parler très bientôt. Tu as déjà rencontré Arnold dans le cadre de soirées informelles. Tu sais donc que tu n'as aucune raison d'avoir peur de lui, ni de ses questions."

« *Nous y revoilà,* pensai-je.

« Je récitai ma réplique : "Quelle sorte de questions ?

« – Des questions toutes simples, sur toi, sur ta vie quotidienne. Il te suffira d'être honnête dans tes réponses, m'assura-t-il, tout en se levant, le sourire aux lèvres. Ne t'inquiète pas. Ce sera facile et tous ces petits désagréments seront bien vite oubliés."

« Tous ces "petits désagréments" ? Était-ce là ce que ce divorce représentait pour lui : de "petits désagréments" ? Mais, pour moi, c'était un vrai désastre !

« "Je sais combien ce doit être pénible pour toi", ajouta-t-il, en se dirigeant vers la porte. Il se figea tout à coup sur le seuil et se retourna vers moi. "Dis donc, m'apostropha-t-il, pourquoi ne viendrais-tu pas faire un saut au bureau, cet après-midi, après les cours ? J'aimerais te montrer la maquette de mon dernier projet. Cela va probablement t'amuser. C'est un projet à quatre cents millions de dollars. Tu seras fière de ton père quand tu verras l'enjeu que cela représente."

« Je ne parvenais même pas à me souvenir à quand remontait la dernière invitation de mon père à lui rendre visite à son bureau. En fait, je n'y étais pas allée, en tout et pour tout, plus d'une demi-douzaine de fois. Il a de magnifiques locaux au vingt et unième étage d'un bel immeuble sur Wilshire Boulevard, à proximité des plus beaux musées de la ville. De ses fenêtres, la vue est absolument extraordinaire : on peut apercevoir le Pacifique et, par temps clair, l'île de Catalina.

« "Je ne vais pas en cours, aujourd'hui, lui avouai-je, juste avant qu'il ne ferme la porte. J'ai une affreuse migraine.

« – Ah ? dit-il en me dévisageant avec inquiétude. C'est passager ou cela fait longtemps que cela dure ?

« – C'est presque tous les jours depuis près de trois mois", répondis-je, datant avec précision le soir du Dernier Repas.

« Il m'examina en silence et hocha la tête.

« "C'est bien pourquoi je veux mettre un terme à toutes ces bêtises au plus vite. Ta mère fait la forte tête, mais elle sera plus heureuse si elle jouit d'une totale liberté. C'est ce qu'elle veut, ce qu'elle a toujours voulu. Malheureusement, c'est sa personnalité qui veut cela", soupira-t-il, avant de sortir, me laissant avec l'impression qu'il emportait avec lui tout l'oxygène de la pièce.

« Quelques heures plus tard, je regrettai déjà de ne pas être allée en cours. Il n'y a rien de plus déprimant qu'une maison qui résonne encore des cris des combattants après la bataille. Les murs, les ombres envahissant chaque recoin, le "bong" de l'horloge, le sifflement prolongé de la bouilloire, tout ce sur quoi l'œil s'arrête semble vide, tout ce que perçoit l'oreille sonne le creux. J'avais l'impression d'être dans un décor de cinéma. Plus rien ne me semblait réel. Toutes ces photos d'eux enlacés, accrochées aux murs ou posées sur les tables dans leurs cadres dorés, n'étaient plus qu'illusion.

Même nos photos de famille me paraissaient truquées.

« *Tous ces sourires sont faux,* pensai-je. Soudain, les visages de mes parents n'étaient plus que des baudruches dégonflées, alors que je me sentais moi-même dériver, flottant au gré du vent, déracinée. J'étais désormais comme vous, dis-je, en regardant l'une après l'autre Cat, Misty et Star : une “orpheline avec parents”.

Je dus prendre une profonde inspiration et pencher la tête en arrière pour empêcher les larmes de couler. Cat s'éclaircit la gorge. Tous les yeux étaient rivés sur moi. Tout le monde attendait en silence.

– Donc, repris-je, en souriant, c'est à partir de là que tout a vraiment commencé. Deux jours plus tard, ma mère venait me chercher à la sortie du lycée pour m'emmener chez son avocat.

« “Tu n'en as rien dit à ton père, j'espère ?” me demanda-t-elle. Je n'avais même pas eu le temps de m'asseoir dans la voiture.

« “Non”, lui répondis-je. Mais je ne lui avais pas non plus parlé, à elle, de son intention, à lui, d'organiser un rendez-vous entre Arnold Klugman et moi.

« “Bien, dit-elle. Non pas que nous ayons quoi que ce soit à cacher, bien sûr. Mais c'est mieux ainsi.”

« *Mieux pour qui ?* pensai-je. Certainement pas pour moi, en tout cas. Je tremblais littéralement de la tête aux pieds, comme si j'étais à Aspen en plein mois de février sans gants ni parka.

– Où ça ? demanda Star.

– À Aspen. C'est une station huppée où les gens riches et célèbres vont faire du ski, lui expliqua Misty.

– Oh, pardon ! persifla Star. Déjà que je n'ai jamais vu une montagne enneigée de près, ce n'est pas pour dévaler les pentes, plantée sur de ridicules bouts de bois.

– As-tu déjà lu la fable « Le Renard et les Raisins » ? lui demandai-je.

– Non, pourquoi ?

– Tu pourrais apprécier. Le renard essaie désespérément d'attraper ces raisins avec les dents, mais ils sont trop hauts et il ne parvient pas à les atteindre. Alors, il tourne les talons et prétend qu'ils ne sont pas mûrs : *Ils sont trop verts,* dit-il, *et bons pour des goujats.*

Elle me fusilla du regard.

– Il se pourrait bien que ton père ait raison, finalement, à propos de ce gène de snobisme que ta mère t'aurait refilé, me rétorqua-t-elle.

– Je ne suis pas snob. Simplement, je n'ai honte ni de ce que je possède ni de ce que je suis.

– C'était comment chez l'avocat ? s'empressa de demander Misty, pour mettre un terme à nos bisbilles.

– Horrible, lui répondis-je. Son avocat a des bureaux vraiment somptueux à Beverly Hills. Un seul coup d'œil aux trois secrétaires, aux superbes lambris de chêne massif, aux tableaux et aux tapis de prix et je me suis dit que le business des divorces devait décidément bien se porter. Tout le monde traitait ma mère comme si elle était la plus importante cliente du cabinet. Elle adore qu'on la caresse dans le sens du poil. Elle aurait dû naître dans une famille royale : toute cette dignité, cette majesté perdues, quel gâchis !

« Son avocat, M. Fishman, est un homme élancé, très mince, avec des yeux en boutons de bottine et d'épais sourcils broussailleux. En voyant son petit sourire glacial, j'ai pensé à une patinoire, tant il apparaissait et disparaissait aisément sur son visage. Après les présentations d'usage, M. Fishman m'invita à prendre place en face de son énorme bureau en merisier sombre. Ma mère s'assit à côté de moi, légèrement en retrait. Il l'imita en se frottant les paumes, puis claqua des mains comme un magicien qui se prépare à lever le drap noir qui cache le diamant disparu ou la fin de cette folie conjugale qui nous détruisait tous.

« "Bien. Jade, tu sais que ta mère m'a engagé pour l'aider à sortir de cette pénible situation, déclara-t-il, en guise de préambule. Un divorce n'est jamais chose plaisante et ta mère veut faire tout ce qui est en son pouvoir pour que tu sortes indemne de cette épreuve."

« Il se tourna vers ma mère pour vérifier qu'elle approuvait sa façon de procéder. Elle le rassura d'un sourire.

« "Jade est une jeune femme très brillante et très mûre, lui affirma-t-elle. Elle fera ce qu'il faut et le fera bien.

« – Je n'en doute pas", répondit-il, avec son petit sourire glacé.

« Pour ma part, je ne cessais de me dire

qu'il s'en moquait éperdument. Je gardai le silence, tout en le regardant fixement. J'attendais.

« "Je t'ai fait venir, cet après-midi, pour t'expliquer la façon dont les choses vont se dérouler et t'informer de ce que l'on va te demander, enchaîna-t-il. Le juge va faire réaliser une enquête sur ta situation familiale par un psychologue afin de produire une ordonnance de droit de garde. Nous avons appris, aujourd'hui, que c'est le Dr Morton qui a été chargée de faire cette évaluation. Je la connais. Elle est très compétente et tout à fait impartiale. Je pense que tu l'aimeras. À son témoignage viendront s'ajouter celui de quelques amis de ta mère et celui d'un représentant du corps enseignant, autrement dit : d'une personne de ton lycée.

« – Qui ?" demandai-je aussitôt.

« Il consulta son dossier.

« "Ta conseillère d'éducation, miss Bickerstaff, répondit-il.

« – Pourquoi elle ?" m'étonnai-je. C'était une femme que je n'appréciais pas particulièrement. Je la trouvais froide et un peu trop zélée pour être honnête. Je l'avais toujours suspectée de ne pas vraiment aimer travailler au contact des jeunes.

« “J’ai eu l’occasion de discuter avec elle, par deux fois, lors des précédentes réunions parents-professeurs, argua ma mère. Ton père n’a pas pu y assister — bien que ce fussent de très importantes réunions —, tu ne t’en souviens pas ?”

« *Ni elle ni mon père n’ont assisté à la dernière réunion des parents d’élèves,* pensai-je. Celle où il était question de l’orientation après le bac, de l’admission en faculté et du choix de l’université.

« “Nous avons donc un représentant officiel de ton lycée, la famille, les amis et le Dr Morton, récapitula M. Fishman. Ce sont eux qui comparaîtront au tribunal. Leur témoignage sera essentiel pour que le juge parvienne à se faire une opinion — sans oublier le tien, naturellement.

« “Je peux t’affirmer, dès maintenant, poursuivit-il, qu’en raison de ton âge, il te demandera très certainement auquel de tes parents tu préférerais voir accorder le droit de garde et pourquoi. Il est plus que probable, ajouta-t-il en voyant mon expression, que cet entretien se déroulera en chambre du conseil, c’est-à-dire à huis clos, en privé, en la seule présence d'un greffier. Il est rare qu'un enfant, ou même qu'un adolescent, témoigne au procès, dit-il en m'adressant son petit sourire glacé.

« – Personne ne pourra faire pression sur toi", renchérit ma mère, faisant manifestement allusion au fait que mon père ne serait pas présent, lors de mon entretien avec le juge.

« *Je rêve !* pensai-je. *Qu'est-ce quelle est en train de faire, en ce moment, sinon faire pression sur moi ?*

– Je suis bien contente d'avoir échappé à ça ! s'exclama Misty.

– Eh bien, pas moi, grommela Star. Si un juge me l'avait demandé, j'aurais au moins pu dire que je ne voulais pas que mes parents aient de droits sur moi et que je ne voulais vivre ni avec l'un ni avec l'autre.

Le temps d'un éclair, le regard de Cat exprima sa plus complète adhésion.

– « As-tu tout compris jusqu'à maintenant ? » me demanda M. Fishman, poursuivis-je.

« Je haussai les épaules. Qu'y avait-il à comprendre ? Je savais, à présent, ce qu'il voulait que je fasse et cela ne me plaisait pas, un point c'est tout.

« "Dans toutes les affaires de ce type que j'ai traitées, et j'en ai traité un certain nombre — plus que jamais, ces derniers temps, d'ailleurs —, ajouta-t-il avec un petit hochement de tête entendu pour ma mère, j'aime rencontrer le ou les enfants ainsi, de manière totalement informelle", commenta-t-il.

« Et il se cala dans son fauteuil, arquant les mains l'une contre l'autre, en toit de pagode.

« *Informelle ?* me dis-je, en jetant un regard circulaire à son bureau, aux murs couverts de livres, de plaques et de diplômes encadrés.

« "Ce que j'aimerais vraiment t'entendre dire, c'est ce qui t'inquiète, ce qui te préoccupe", reprit-il.

« Je me contentai de le dévisager en silence.

« "Tu te sentirais peut-être plus à l'aise si nous n'étions que tous les deux pour discuter, insista-t-il, en lançant un regard de conspirateur vers ma mère.

« – À vrai dire, ce serait plutôt le contraire", lui répondis-je. Son petit sourire réapparut, plus contraint, plus froid encore.

« “Je comprends à quel point tout cela est difficile pour toi, dit-il. Mais je tiens à t’assurer qu’il n’est nullement dans notre intention de faire complètement sortir ton père de ta vie. Ta mère n’est pas opposée à un planning raisonnable de visites, de week-ends et de vacances avec lui.

« “Notre but, poursuivit-il, est de conserver à ta vie autant de normalité que possible en pareilles circonstances. Tu te sens bien chez toi ? Tu te sens bien dans ton univers tel qu’il est aujourd’hui, n’est-ce pas ?

« – Pas vraiment, répondis-je.

« – Je ne voulais pas parler de cette atmosphère de conflit dans laquelle tu baignes actuellement. J’aimerais que tu prennes le temps de réfléchir un moment et que tu essaies de faire abstraction du contexte présent pour te demander comment tu peux parvenir à conserver les aspects positifs de ta vie, les choses qui font que tu te sens bien dans ton univers et auxquelles tu tiens le plus. Concentre-toi sur ce sujet, d’accord ? Et, quand on te posera des questions, réfléchis à la façon dont tes réponses pourront le mieux t'y aider, O.K. ?"

« Je me tournai vers ma mère.

« "Je ne perdrai pas la maison, affirma-t-elle avec fermeté. Quoi qu'Arnold et lui puissent dire ou faire, je garderai la maison.

« – Vous ne la perdrez pas", l'assura M. Fishman.

« Elle m'adressa un regard triomphant, comme si c'était là le fond du problème. Si elle conservait la maison, ne voudrais-je pas rester avec elle pour garder ma chambre ? Comme si ma chambre et tout ce qu'elle renfermait étaient les seules choses qui comptaient pour moi !

« "Je vais te donner un petit aperçu du genre de questions que l'on pourrait te poser, reprit M. Fishman. Réfléchis bien. Qui semble le plus disponible quand tu as besoin d'un conseil ? Avec qui préfères-tu partager tes pensées les plus intimes, tes problèmes ? Qui te comprend le mieux ? Qui a toujours été là pour toi par le passé ?

« "Il ne te reste pas tant de temps que cela avant de devenir indépendante, Jade.

Pense à ce qui te permettra de passer au mieux ces dernières années de dépendance vis-à-vis de tes parents. Et, surtout — et c'est là essentiel —, ne va pas croire que l'on te demande de choisir entre tes parents. Personne ne te demande d'aimer moins ton père et d'aimer plus ta mère. Tu pourrais bien, d'ailleurs, en formulant tes réponses, les aider à prendre une décision qui leur sera également profitable.

« "Tu ne veux pas devenir une charge pour ton père, n'est-ce pas ? lança-t-il. C'est un homme très occupé, un artiste. Il a besoin d'avoir l'esprit libre de toute responsabilité pour créer, dans son métier."

« J'avais l'impression que deux serpents s'étaient réveillés dans mon estomac et qu'ils glissaient l'un sur l'autre, s'entortillant étroitement pour former un nœud douloureux dans mon ventre, un nœud si serré qu'aucun d'eux ne pouvait le défaire. Faute de quoi, pris de panique, ils tiraient d'un côté et de l'autre, se déchirant l'un l'autre et, comble de l'horreur, cet abominable combat se jouait en moi.

« M. Fishman dut voir sur mon visage ce qui se passait et, faisant preuve d'une fort opportune diplomatie, il regarda ma mère et lui dit en souriant : “Bien. C’est un bon début. Nous nous reverrons.”

« Ma mère et lui se levèrent, mais, quand je voulus en faire autant, mes jambes refusèrent de me porter, se dérobant sous moi comme si elles étaient en caoutchouc. Je chancelai.

« M. Fishman se précipita pour m’offrir son bras.

« “Tu ne te sens pas bien ?” me demanda-t-il. Sa voix me sembla lointaine, comme montant du fond d’un puits, avec un désagréable effet d’écho.

« “J’ai la nausée”, lui dis-je. J’avais d’abominables crampes d’estomac.

« Ils m’entraînèrent prestement vers les toilettes. Je vomis dans la cuvette pendant que ma mère faisait couler le robinet du lavabo pour couvrir le bruit de mes haut-le-cœur, tout en me demandant toutes les cinq secondes comment je me sentais.

« Je finis par sortir.

« “Je vais t’emmener chez le médecin, me dit-elle. Tu as dû attraper un microbe.

« – Ça va aller, lui répondis-je. Je voudrais seulement rentrer et m’allonger un moment.

« – Maudit soit-il de t’infliger une

chose pareille ! jura-t-elle. Que le diable l'emporte !"

« Je gardai les yeux fermés pendant la majeure partie du trajet en voiture. J'aurais aimé pouvoir fermer mes oreilles aussi pour ne pas l'entendre récriminer contre mon père et s'indigner de tout ce qu'il nous faisait endurer. J'avais hâte de retrouver ma chambre. À peine rentrée, je m'y précipitai. Je me déshabillai et me couchai aussitôt. Quand elle vint jeter un coup d'œil, un peu plus tard, je gardai les yeux clos, feignant de dormir.

« Mme Caron m'apporta un bol de soupe. Je mangeai un peu et la nausée se dissipa. Mais ce ne fut que pour laisser place à un mal de tête persistant. Je commençais à me demander si ma mère n'avait pas raison, finalement : si je n'avais pas "attrapé un microbe". Tout compte fait, j'aurais peut-être dû consulter un médecin.

« Quand mon père rentra et qu'il apprit que je n'avais pas dîné et que j'étais au lit, il monta aussitôt me voir.

« Il me demanda ce qui n'allait pas. Je lui dis que j'avais mal au ventre et à la tête.

« “Pourquoi ne t’a-t-elle pas emmenée chez le médecin ? s’enquit-il. Elle avait une réunion importante à laquelle elle voulait à tout prix assister, c’est cela ?” Mes maux de tête se firent aussitôt plus violents. “Écoute, Jade, si tu sens que ton état ne s’améliore pas, cette nuit, viens donc frapper à ma porte. J’appellerai Harry Weinstein et il viendra t’ausculter, quelle que soit l’heure. Elle a probablement eu peur de perdre son temps dans la salle d’attente.

« – Non, lui avouai-je. C’est moi qui n’ai pas voulu y aller.

« – Quand on est malade, on n’est pas en mesure de savoir ce qui est bon pour soi. C’est aussi à cela que servent les parents”, déclara-t-il.

« *Mais où était-il donc quand j’ai eu la rougeole ?* pensai-je. *Il était à Toronto, pour un congrès d’architectes. Et où était-il quand j’ai eu une grippe si sévère que j’ai perdu cinq kilos ? Il était à Boston pour surveiller la construction d’un immeuble de bureaux. Ma mère était à Atlanta pour assister à l’assemblée générale de son groupe.*

« Bien des fois, malade ou pas, j’avais dû savoir ce qui était bon pour moi.

« Tu avais raison, Star, poursuivis-je, moi non plus, je ne voulais plus vivre avec eux. Je voulais partir. Cette nuit-là, je n'avais plus que cette idée en tête.

« Et, plus tard, c'est ce que j'ai fait.

– Tu l'as fait ? s'écria Misty.

Je me souvins alors qu'elle avait fait une fugue, elle aussi.

– Et alors, que s'est-il passé, à ce moment-là ? me demanda Cat.

Je la regardai sans répondre. J'avais presque honte de le leur dire.

Mais je pris mon courage à deux mains et leur avouai la vérité :

– Ils ne s'en sont même pas aperçus.

4

– Il m'a fallu un certain temps pour passer des velléités au projet de départ et plus encore avant de me résoudre à mettre ce projet à exécution. Pour commencer, je ne savais pas où aller. Si tant est que cela m'ait été possible, il n'était même pas envisageable, pour moi, de me réfugier chez aucun de mes parents : je ne m'entendais pas avec mes cousins paternels et je n'avais aucune relation, aussi superficielle soit-elle, avec mes oncles et tantes. Quant à mes grands-parents, ils se seraient empressés de me renvoyer d'où je venais, et en express, qui plus est.

Misty s'esclaffa.

– En revanche, la question d'argent n'entrait nullement en ligne de compte. Après avoir signé les papiers du divorce, mes parents se sont battus pour m'ouvrir un compte en banque. Il était temps, paraît-il, que je fasse l'apprentissage de l'indépendance. Il y avait aussi cette histoire pseudo-psycho-machin-chose de sentiment de sécurité que cela devait me procurer à un moment crucial de mon développement émotionnel et psychologique, ajoutai-je, avec un regard en coin pour le Dr Marlowe.

« En outre, il y a déjà des années de cela, mes parents avaient estimé que, en certaines circonstances, je pouvais avoir besoin d'argent, alors qu'ils étaient tous les deux retenus par leurs obligations professionnelles. Cela s'était déjà produit. Aussi avaient-ils passé un accord avec leur banque pour s'assurer que je pouvais tirer jusqu'à cinq cents dollars sur leurs comptes à tout moment. Je ne l'avais jamais fait, mais la proposition tenait toujours…

« Et voilà qu'à présent ils contribuaient tous deux à l'ouverture d'un compte à mon nom, me remettant, avec une solennité quasi religieuse, un chéquier et une carte de retrait. Depuis déjà un bon moment, les dîners tenaient davantage de la veillée mortuaire que du repas familial, avec leur mariage gisant dans un cercueil, juste à côté de la table de la salle à manger. Au point où en étaient arrivées les choses, il était rare d'entendre l'un ou l'autre dire : "Nous sommes d'accord" sur quoi que ce fût, mais, ce soir-là, après le dessert, mon père glissa la main dans la poche intérieure de sa veste, s'éclaircit la voix, jeta un coup d'œil à ma mère et prit la parole, comme si, présidant quelque brillante assemblée, il montait sur l'estrade dressée dans le fond de la salle de banquet. Je l'imaginais déjà faisant tinter son verre avec sa petite cuillère pour obtenir le silence.

« "Jade, dit-il, ta mère et moi avons décidé que tu étais assez grande, maintenant, pour gérer tes propres finances. Il faut que tu apprennes la valeur de l'argent. Tu seras amenée, un jour, à en avoir beaucoup — non seulement celui dont tu hériteras, mais également, je l'espère, celui qui résultera de tes efforts personnels", ajouta-t-il avec un sourire.

« Ma mère pinça les lèvres et continua à regarder la table en décrivant de petits cercles sur la nappe du bout de l'index.

« "Quoi qu'il en soit, enchaîna-t-il, conscients de cette nécessité, ta mère et moi avons, d'un commun accord, décidé de t'ouvrir un compte bancaire. Il te suffira d'aller à la banque, quand bon te semblera, pour remplir le carton de signature et d'apposer cette même signature sur ta carte pour pouvoir faire des chèques et tirer du liquide aux guichets de retrait automatique. C'est un compte rémunéré. Nous avons tous deux pensé qu'économiquement parlant ce serait plus intéressant puisqu'il est assez improbable, nous semble-t-il, que tu fasses beaucoup de chèques. Quoi qu'il en soit, répéta-t-il, et trêve de bavardages, voici ton chéquier et ta carte de retrait."

« Il se leva et fit le tour de la table pour venir me les remettre. J'ouvris le chéquier et lus, avec stupeur, que mon compte était déjà crédité de deux mille dollars. Surprise par l'importance du montant, je tournai les yeux vers lui, puis vers ma mère. Tout ce dont j'avais besoin était déjà payé : vêtements, nourriture, transports... Qu'allais-je bien pouvoir acheter avec mes deux mille dollars ? De nouveaux CD ? Des magazines ?

– J'aurais bien aimé avoir ce genre de problème, maugréa Star.

– “Nous avons participé à hauteur de mille dollars chacun, tint à m’informer ma mère. Mais, comme il gagne plus que moi, proportionnellement, j’ai investi plus que lui.

« – C’est un coup bas, s’indigna mon père. Tu n’as jamais demandé à ce que ma contribution soit plus élevée que la tienne, proportionnellement ou non.

« – C’est une simple question de bon sens, Michael, l’enfonça ma mère. Avec ton sens des affaires, tu devrais savoir cela sans que quiconque ait besoin de te le rappeler.”

« Mon père qui, jusqu’alors, se tenait bien droit, avec son maintien impérial de maître de cérémonie, fléchit brusquement, comme s’il avait reçu un coup de poing à l’estomac.

« “Veux-tu que je mette davantage ? lui demanda-t-il.

« – Fais comme bon te semble, Michael”, lui répondit-elle, en coulant vers moi un regard entendu propre à me remémorer ce qu’elle avait dit à propos de ses beaux-parents et de leur propension à l’avarice.

« Mon père semblait extrêmement embarrassé. Vous auriez dit, à le voir, qu’il se sentait pris au piège. Tout se passait comme si chaque phrase, chaque coup porté par l'un faisait partie d'une stratégie longuement mûrie qui n'avait d'autre but que de ridiculiser et de discréditer l'autre à mes yeux. J'avais l'impression qu'ils étaient déjà dans la lice du tribunal, joutant avec des lances trempées dans le venin.

« "Pourquoi n'as-tu pas évoqué cette question avant de me demander de lui remettre ce chéquier et cette carte, Maureen ? martela mon père.

« – Pourquoi l'aurais-je dû ?" rétorqua-t-elle.

« Il me jeta un coup d'œil contrit. Mais je voyais bien qu'il bouillait de rage. Son visage s'empourprait de plus en plus, comme si la colère le consumait intérieurement.

« "Je vais demander à l'expert-comptable de calculer ce qui est proportionnellement équivalent aux mille dollars de ta mère et faire immédiatement virer la différence sur ton compte, me promit-il.

« – Cela m'est égal, lui répondis-je. Je n'en veux pas, de cet argent !" Je brûlais d'en dire davantage. Je brûlais de leur dire : “Je veux que ma vie redevienne comme avant ; je veux que vous fassiez comme si vous vous aimiez encore et que vous cessiez de vous battre comme des chiffonniers ; je veux que vous mettiez un terme à cette guerre destructrice ; je veux avoir la paix !” J’avais tous ces mots-là sur le bout de la langue, mais, soudain, je sentis ma gorge se serrer et une masse pesante, comme une boule d’acier, m’écraser le cœur. Par chance, le dîner était terminé et je pouvais m’éclipser. “J’ai des devoirs à faire, leur dis-je. Puis-je me retirer ?

« – Mais bien sûr, me répondit ma mère.

« Je quittai aussitôt la table pour me diriger vers l’escalier. Mon père m’interpella.

« “Quant à tout cela, tu ferais peut-être mieux d’attendre que les corrections nécessaires aient été *proportionnellement* apportées”, persifla-t-il d’un ton on ne peut plus sarcastique, en me tendant chéquier et carte bancaire. Je les lui arrachai pratiquement des mains et me ruai vers ma chambre.

« À peine avais-je ouvert la porte que je

jetai le chéquier à travers la pièce. J'allais, cependant, le récupérer avant de me coucher. Quand viendrait le moment de mettre mes projets de départ à exécution, il pourrait se révéler fort pratique. Entre-temps, mon père aurait ajouté sept cent cinquante dollars et je serais allée à la banque faire enregistrer ma signature.

Star émit un long sifflement admiratif.

– Ben, dis donc ! Ça fait un sacré paquet d'argent de poche, ça, ma vieille !

Je mûris cette réflexion, le temps de boire un peu de citronnade, et me calai dans le canapé. L'horloge miniature faisait entendre son tic-tac lancinant. Pendant un moment, les chiffres du cadran se brouillèrent. *Vous en venez vraiment à haïr le temps quand tout s'écroule autour de vous,* me disais-je. Vous *voulez juste que les jours passent. Vous voulez dormir et oublier. Les réveils et les montres ne font que vous rappeler les rendez-vous à venir : avec les avocats, les juges, les thérapeutes... Vous rêvez d'un monde sans horaires, un monde dans lequel, lorsque passe un instant de bonheur, vous pouvez bloquer les aiguilles de l'horloge et demeurer éternellement emprisonné dans cette bulle de félicité.*

Le Dr Marlowe s'éclaircit la gorge pour me rappeler à la réalité : je n'étais pas seule ; les autres attendaient. Je me redressai.

– Quand il s'est agi, pour moi, de rencontrer son avocat, repris-je, mon père s'est montré beaucoup plus subtil que ma mère : au lieu de me conduire au cabinet d'Arnold Klugman pour un entretien similaire à celui que j'avais eu avec M. Fishman, il m'invita à déjeuner.

« Mon père et ma mère appartiennent — ou appartenaient, jusqu'à nouvel ordre — à un country club très fermé et allaient souvent jouer au golf, le samedi. Le droit d'entrée pour devenir membre de ce club est très élevé et a fait l'objet d'une très âpre rivalité entre eux. Quant à moi, je commençais à trouver que les choses prenaient des proportions par trop ridicules et je n'aurais pas été autrement surprise s'ils s'étaient disputés sur le nombre de balles de golf que chacun possédait en propre.

« Toujours est-il que, le samedi suivant, ma mère alla jouer au golf avec une de ses amies et que mon père en profita pour m'inviter dans un bon restaurant de Santa

Monica, le genre d'établissements touristiques dans lesquels vous pouvez jouir de la vue de l'océan tout en dégustant une cuisine gastronomique hors de prix. Nous étions presque arrivés quand il m'annonça que son avocat nous y rejoindrait.

« "J'ai simplement pensé que le cadre se prêterait mieux à ce genre d'entretien informel, m'expliqua-t-il. L'atmosphère y sera plus décontractée et il nous sera plus facile de discuter dans ces conditions — non pas que tu aies la moindre raison de ne pas être à l'aise avec Arnold", crut-il bon d'ajouter.

« Et voilà. Je m'étais imaginé que quelque chose de bon allait quand même sortir de toute cette folie : mon père allait passer un moment privilégié avec moi. Au lieu de quoi, j'en étais encore pour une désillusion. J'aurais pu, j'en suis sûre, compter sur les doigts d'une seule main les occasions que nous avions eues de nous retrouver seul à seul, mon père et moi, pour jouir ensemble d'un pur moment de distraction ou de détente.

« Cette ignominieuse défection m'accabla. J'en éprouvai une immense déception, tel un cerf-volant que le vent abandonne et qui se précipite vers la terre ferme pour s'y écraser.

« Mais je n'en laissai rien paraître. J'avais déjà bien assez de récriminations qui me tournaient dans la tête, comme une nuée de papillons de nuit autour d'une lampe, sans avoir besoin d'en rajouter.

« Mon père s'arrêta devant la porte et laissa les clefs au voiturier. Quand nous entrâmes dans le restaurant, Arnold nous y attendait déjà.

« "Mon Dieu ! s'exclama-t-il, tandis que nous nous dirigions vers sa table. Comme elle a grandi ! Comme elle est devenue belle, ta fille, Michael ! J'ai bien failli ne pas la reconnaître. Salut, Jade.

« – Bonjour", dis-je sans chaleur, en me glissant sur la banquette opposée. Je jetai un regard mélancolique vers l'océan, regrettant de ne pas être sur la plage, le vent dans les cheveux, à regarder danser les vagues. En fait, j'étais ravie que nous fussions venus là : l'endroit se prêtait merveilleusement à la rêverie et je pus laisser dériver mes pensées pendant toute la durée de la conversation — fort ennuyeuse, au demeurant.

« Arnold s'y prit à peu près de la même façon que M. Fishman. Il commença par me promettre qu'il allait travailler d'arrache-pied et faire de son mieux pour que ce regrettable épisode me soit le moins pénible possible. Il était au courant pour l'enquête sociale préalable à toute décision du juge quant à l'exercice de l'autorité parentale, mais il insista beaucoup plus lourdement sur ce point que ne l'avait fait M. Fishman, ou, devrais-je plutôt dire, il en fit peser beaucoup plus lourdement la responsabilité sur mes épaules.

« "Tout ce que tu diras à ce Dr Morton fera une très forte impression sur le juge, me dit-il. Les décisions concernant la garde de l'enfant sont habituellement fondées sur ce que le juge estime servir au mieux les intérêts de ce dernier, donc au mieux de tes intérêts et non de ceux de ta mère ni même de ton père. La façon dont tu décriras ta relation avec ton père sera donc déterminante."

« Le sourire d'Arnold était très différent de celui de M. Fishman. Celui de M. Fishman était si fugitif, si froid que j'avais immédiatement décelé l'hypocrisie qu'il trahissait. Mais Arnold ne se laissait pas aussi facilement cerner. Il avait un sourire beaucoup plus chaleureux, si chaleureux même qu'il parvint presque à me faire croire qu'il prenait effectivement mes intérêts à cœur. Presque, mais pas complètement. En fait, je ne tardai pas à me rendre compte qu'il était tout aussi obséquieux et intéressé que M. Fishman. Ils étaient un peu comme les deux faces d'une même pièce de fausse monnaie. Peu importait le côté qui apparaissait sur le dessus quand on la jetait : le fraudeur y trouvait toujours son compte. Je vivais désormais dans un monde factice où tout n'était qu'illusion et mensonge.

« "Nous ne te demandons pas d'être injuste envers ta mère, poursuivait Arnold. Je connais ta mère presque aussi bien que je connais ton père et je ne voudrais pas faire quoi que ce soit qui puisse lui porter préjudice. Mais s'il est quelque chose que tu dois faire sans tarder, c'est penser à toutes ces choses que ton père fait pour toi — des choses que nous pourrions qualifier de *courantes,* voire *d'anodines,* comme t'emmener là où tu dois aller, s'assurer que tu as toujours ce dont tu as besoin, être disponible pour t'écouter, des trucs de ce genre. Tu es à un âge où un père comme le tien peut devenir très très important, ajouta-t-il avec ce même sourire chaleureux. Surtout quand tu penses à ta prochaine entrée à l'université et aux voyages indispensables à toute bonne éducation digne de ce nom. Ton père est issu de l'Ivy League. Tu sais ce que cela signifie ? Yale, Harvard, Princeton, cela t'évoque quelque chose ? Cela veut dire qu'étant sorti de l'une des plus prestigieuses universités privées des États-Unis, il est au cœur d'un véritable réseau international de relations toutes plus intéressantes les unes que les autres. Ce qui n'est pas le cas de ta mère. Si je me souviens bien, elle a juste fait un an dans une vague école de commerce, c'est bien cela, Michael ?

« – La Templeton School of Business. Leur diplôme ne donne même pas l'équivalence du Deug", répondit mon père. Je fus choquée par la cruauté que je perçus dans sa voix. Jamais je ne l'avais entendu rabaisser ma mère de cette façon.

« "C'est bien ce que je voulais dire, reprit M. Klugman. La réelle expérience que ton père a de la vie universitaire est ce dont tu vas vraiment avoir besoin, maintenant. Vous avez probablement déjà discuté des universités auxquelles tu pourrais t'inscrire, je présume ?

« – Non", répondis-je.

« On nous avait servis, mais Arnold refusait de me laisser déjeuner en paix.

« "Non ? s'étonna-t-il.

« – Non, répétai-je. J'ai eu un entretien à ce propos avec mon conseiller d'orientation, mais ni ma mère ni mon père n'étaient à Los Angeles, ce jour-là — bien que le rendez-vous ait été fixé une semaine à l'avance. Le jour de l'entretien, ma mère a été rappelée à son bureau pour une urgence et mon père avait un sérieux problème avec un de ses grands projets je ne sais plus où, commentai-je sèchement. Prévenu à si brève échéance, mon conseiller d'orientation n'a pas pu repousser le rendez-vous. J'ai donc assisté à cet entretien sans mes parents."

« M. Klugman se tourna vers mon père.

« "Mais nous avons discuté ensemble du contenu de cet entretien, se défendit mon père. Nous en avons parlé à table, le soir même, tu ne te le rappelles pas ?"

« Je haussai les épaules. Pour être honnête, j'aurais bien été incapable de dire si c'était vrai ou non. « "Je suppose, répondis-je.

« – Tu vois, rebondit aussitôt M. Klugman, c'est exactement le genre de choses dont je voudrais que tu te souviennes. Tu sais, ce ne serait peut-être pas une mauvaise idée si tu couchais tout cela par écrit. Et, si tu avais le moindre doute à ce sujet, tu n'aurais qu'à demander conseil à ton père.

« – À vous entendre, on croirait un examen de passage, lui dis-je.

« – Oh ! mais, c'en est un ! s'écria-t-il. C'est tout à fait cela et même davantage."

« Il parla, lui aussi, des autres témoins qui seraient convoqués au tribunal et me posa des questions à leur sujet.

Je mangeai vite, mais c'était plus par nervosité que par réel appétit. Si je ne vomis pas après le repas, comme je l'avais fait dans le cabinet de M. Fishman, j'avais néanmoins l'impression que tout ce que j'avais ingurgité m'était resté en travers de la gorge. Je regrettais d'avoir déjeuné. Je ne pouvais même pas avaler sans que cela me fasse mal.

« Quand nous sortîmes du restaurant, mon père surprit le regard de regret que je jetai vers le rivage. Il s'immobilisa et contempla à son tour le spectacle des vagues.

« "Veux-tu faire une petite balade sur la plage ?" me proposa-t-il.

« Il était là, devant ce restaurant cossu, avec son blazer, sa cravate et ses Weston aux pieds. *Comment peut-il seulement envisager de marcher dans le sable dans cette tenue ?* me dis-je.

« J'acquiesçai pourtant et il m'entraîna vers les planches du ponton.

« "Je suis vraiment désolé de tout ce qui t'arrive, me confia-t-il. Tu peux me croire si je te dis que j'étais bien loin d'imaginer une chose pareille.

« – Tu parles du divorce ou de la bataille pour le droit de garde ? lui demandai-je.

« – Des deux, me répondit-il. Mais je dois bien admettre que ta mère m'a surpris en décidant de porter l'affaire devant le tribunal. Comment aurais-je pu prévoir qu'elle accorderait autant d'importance aux mesures provisoires concernant l'exercice de l'autorité parentale ? Je sais qu'elle tient à la maison, mais la liberté de faire ce qu'elle veut quand elle veut est manifestement ce qui prime à ses yeux. C'est ce que j'avais présumé, du moins. Évidemment, d'autres facteurs entrent en ligne de compte, des choses bien plus compliquées..."

« Je savais ce qu'il entendait par là, mais je ne répondis pas. Le plus difficile, dans toute cette lamentable histoire, c'est d'avoir à gérer la situation avec chacun d'eux alors qu'ils veulent à tout prix, l'un comme l'autre, me forcer à prendre parti. Pourquoi ne pouvions-nous donc pas nous promener simplement sur la plage et parler d'autre chose ? Pourquoi pas de ce que M. Klugman avait évoqué au déjeuner : mon avenir universitaire, par exemple ? Ni l'un ni l'autre n'étaient venus me trouver directement pour me demander ce que je voulais faire dans la vie. Ils étaient tous les deux bien trop accaparés par ce qu'ils allaient faire de la leur.

« "Je ne perdrai pas la maison, poursuivit-il. Cette maison, c'est mon âme. C'est moi qui l'ai créée. C'est de là qu'elle vient, dit-il, en pointant l'index sur sa tempe. Je peux revendiquer la propriété intellectuelle et artistique, tu sais. Arnold y travaille.”

« Les voilà tous les deux qui me juraient qu’aucun d’eux ne perdrait la maison, comme si, pour eux, la maison était plus importante que moi.

« “Ne t’inquiète pas, m’assura-t-il, ta mère se trouvera quelque chose de conforme à son standing. Tu peux lui faire confiance. Et elle le sait très bien. Elle se bat juste pour le principe, pour me faire mal. Tu sais à quel point elle déteste tout ce qui a trait à la maison. Non mais, l’imagines-tu une seule seconde s’occuper de l’entrctien d’une telle propriété ?”

« Il s’esclaffa. Je gardais les yeux baissés et marchais les bras croisés. La brise marine était si fraîche, si vivifiante. Comme nous nous approchions du rivage, j’ôtai mes chaussures et mes chaussettes pour fouler le sable de la plage. Il hésita, rit de plus belle, et m’imita. Il roula les jambes de son pantalon et me rattrapa pour m’accompagner jusqu’à la mer.

« “C’est génial ! s’écria-t-il. Je n’ai pas fait cela depuis des années.

« – Vous n'en seriez peut-être pas arrivés là, sinon", marmonnai-je.

Mon père sursauta, comme s'il venait de tomber dans un guet-apens.

« "Ah ! C'est ce qu'elle te raconte ; maintenant ?" me demanda-t-il.

« *Jade,* me dis-je, *tu ferais mieux de tenir ta langue. Ce sont de vrais bâtons de dynamite et leur mèche est aussi courte l'une que l'autre. La moindre de tes paroles peut produire une étincelle. Fais attention à ce que tu dis !*

« "Non, lui répondis-je. Vous vous amusiez tellement ensemble, avant. Je me disais, juste, que c'était important.

« – Oh ! mais c'est important ! s'écria-t-il. Cependant n'oublions pas le vieil adage : il faut être deux pour danser le tango. Je pourrais dresser une liste longue comme mon bras des endroits où je voulais aller, des manifestations auxquelles je voulais assister, de toutes ces choses que je voulais faire juste pour le plaisir, mais pour lesquelles elle n'avait plus jamais ni de temps ni d'envie", m'expliqua-t-il. Ce qui était précisément le reproche que lui faisait ma mère.

« "D'accord, d'accord, ajouta-t-il aussitôt. Si elle est comme cela, si c'est ce qu'elle veut être, parfait. Grand bien lui fasse. Mais moi, j'ai besoin d'une relation plus paisible. Je suis un créatif : je dois éviter toute situation de stress", monologua-t-il.

« Je restai immobile au bord de l'eau, laissant les vagues me chatouiller les orteils. Il en fit autant, sans cesser toutefois de grommeler : les choses avaient tellement changé ; il aurait tellement voulu ne pas en arriver là ; il espérait tellement qu'elle se montrerait raisonnable, etc.

« Au bout d'un moment, le chant de la mer noya ses jérémiades. Je fermai les yeux. Je m'imaginais sur un voilier, glissant sur l'eau, les haubans claquant au vent et les embruns me fouettant le visage.

« "Nous devrions rentrer ; l'entendis-je soudain déclarer. Jade ?

« – Comment ? Oh ! Oui, oui", balbutiai-je et je lui emboîtai le pas en direction du robinet sous lequel nous pûmes nous rincer les pieds.

« Pendant que je me séchais, avec le mouchoir qu'il m'avait prêté, je sentais son regard posé sur moi. Quand je levai les yeux vers lui, je le vis qui m'observait avec un sourire espiègle de petit garnement. Je haussai les sourcils.

« "Qu'est-ce qu'il y a ? lui dis-je, en souriant malgré moi.

« – Rien. Je te regardais et je me disais seulement combien tu étais jolie. Tu ressembles beaucoup à ta mère quand elle était plus jeune, tu sais. C'est une femme très séduisante. Mais Dieu me garde de faire un tel compliment devant elle ! railla-t-il d'un ton narquois. Pour elle, ce serait une véritable injure. Elle serait prête à arracher les yeux au premier qui oserait lui dire qu'elle est belle ! Heureusement, tu n'es pas comme cela, toi. Je le sais. J'en suis sûr. Tout ira bien pour toi, Jade, tu verras. Cette affaire va bientôt se terminer et tu vas te rétablir, comme un chat qui retombe sur ses pattes, ne t'inquiète pas.

« – Et toi, papa ? lui demandai-je.

« – Je m'en sortirai. Nous nous en sortirons", insista-t-il, comme s'il ne pouvait plus envisager l'avenir sans moi. Du moins, pour l'instant.

« *Que se passera-t-il après, quand l'un ou l'autre aura remporté la bataille ?*

pensai-je. *Continueront-ils à ne plus pouvoir imaginer l'avenir sans moi ? M'incluront-ils toujours dans leur existence avec le même zèle ?*

« En fait, ce que je veux dire, c'est que j'avais, depuis longtemps déjà, cessé de leur faire confiance, de croire ce qu'ils me disaient, de gober toutes leurs promesses.

Je me tournai vers le Dr Marlowe qui hocha discrètement la tête.

– Ce que j'ai compris, poursuivis-je, c'est qu'en brisant le serment qu'ils s'étaient fait l'un à l'autre, ils avaient perdu toute crédibilité auprès de moi.

Star me regardait bizarrement, comme si, pour la première fois, elle me comprenait vraiment. Misty acquiesça d'un signe de tête. Quant à Cat, elle semblait sur le point de sauter de son siège pour se ruer hors de la pièce. Je me demandais en quoi ce que j'avais dit pouvait bien l'affecter à ce point.

– Ils se sont menti l'un à l'autre, renchéris-je. Pourquoi devrais-je les croire ? Ne ressentez-vous pas cela, vous ? Que vous avez été trahies ?

– Oh si ! s'exclama Misty.

Cat jeta un coup d'œil terrifié au Dr Marlowe et se contenta d'un timide hochement de tête.

Star sourit.

– Mamie dit que nous arrivons sur terre sans certificat de garantie et que nous repartons comme nous sommes venus. Tout n'est que promesses ici-bas, les filles. Alors, faites vos jeux, rien ne va plus !

– Eh bien, moi, je n'étais pas prête à parier ni sur celles de l'un ni sur celles de l'autre, dis-je. Et je crois que la thérapeute chargée de l'enquête sociale a rapidement abouti à la même conclusion.

« Un jour, peu de temps après ce déjeuner en compagnie de papa et de son avocat, en rentrant à la maison après les cours, j'ai trouvé cette femme, le Dr Morton, qui m'attendait dans le salon. Rosina lui avait servi une boisson fraîche et elle s'était bien gentiment installée sur le canapé, son bloc-notes sur les genoux. Elle m'interpella comme je traversais le vestibule.

« Je m'immobilisai aussitôt et jetai un œil dans le salon — non sans une certaine curiosité, je dois bien l'avouer. Le Dr Morton est un tout petit bout de femme — elle a bien trois ou quatre centimètres de moins que Misty. Elle a les cheveux bruns, si frisés que vous diriez de la paille de fer, et de grands yeux en amande, des yeux magnifiques.

« Elle a un très joli sourire, aussi, un sourire chaleureux et sincère. Avec elle, même lorsque vous n'en avez pas envie, vous finissez par coopérer. Elle prend tellement son travail à cœur. C'est si évident. On comprend tout de suite qu'elle se sent investie d'une mission importante. Elle a une conscience aiguë de la gravité de sa tâche, à telle enseigne que, lorsqu'elle en parle, vous croiriez entendre un chirurgien décrire une opération à cœur ouvert. Elle fait toujours preuve de la même concentration pour chacune de mes réponses et semble tourner et retourner chaque mot comme quelque tailleur de diamants examinant une pièce rare. Elle étudie, scrute, évalue chaque syllabe. C'est à vous rendre folle, par moments !

Le Dr Marlowe s'esclaffa.

– Le Dr Morton jouit d'une excellente réputation et son travail est très respecté dans la profession, dit-elle.

– Je ne voudrais pas faire ce qu'elle fait, déclara Misty.

– C'est pis que le roi Salomon dans la Bible, quand il doit couper le bébé en deux, renchérit Star.

– Couper un bébé ? s'écria Misty. Je ne me souviens pas d'un truc pareil. Tu me diras, ce n'est pas avec ce que j'ai lu de la Bib...

– Il ne l'a pas coupé, l'interrompit Star. Il a dit qu'il le ferait quand les femmes l'ont réclamé, en prétendant toutes les deux que c'était leur enfant. Et celle qui était vraiment sa mère lui a dit de ne pas le faire. Elle lui a dit de donner le bébé à l'autre femme.

– Elle lui a donné son bébé ?

– Elle préférait ça que de le voir mort. Ce n'est pourtant pas difficile à comprendre !

– Mes parents préféreraient me voir coupée en deux, marmonnai-je.

Misty se retourna vers moi d'un bloc, abasourdie.

– Je n'y peux rien, lui dis-je. C'est ce que je ressens. Mais ne me regarde donc pas comme cela ! Ce n'est pas moi le bourreau dans l'histoire !

Mon estomac se noua.

– En parlant de bâtons de dynamite, railla Star à mi-voix.

Elle leva les yeux vers moi.

– Personne ne t'accuse de quoi que ce soit, me dit-elle.

– Peut-être pas maintenant, lui rétorquai-je, mais bientôt. Mon père ou ma mère le fera. Celui qui perdra m'accusera.

– Non. Ton père va se contenter d'accuser ta mère ou ta mère d'accuser ton père. C'est tout.

– Peut-être, concédai-je. Toujours est-il que répondre à la moindre question du Dr Morton, pour aussi anodine qu'elle essayât de la faire passer, me mettait les nerfs à vif tant je craignais les conséquences que chacune de mes paroles pourrait avoir.

« Au début, elle me demanda de lui parler de moi, de ma vie quotidienne, de mes centres d'intérêt, de mon travail scolaire. Ce qui m'amena progressivement à parler de la vie à la maison, du temps que je passais avec mes parents, des occasions que j'avais de me retrouver seul à seul avec l'un ou avec l'autre, du plaisir que j'y prenais. Elle voulait savoir ce que je pensais du fait que ma mère ou que mon père ne puisse pas passer plus de temps avec moi, ce que je connaissais de leur vie privée et si celle de l'un des deux me préoccupait davantage. Je crois qu'elle a été très surprise en constatant le peu de choses que je savais d'eux, de leur métier, notamment. Je n'étais même pas capable de préciser ce que ma mère faisait à son bureau et j'ignorais sur quel projet mon père travaillait à ce moment-là.

« Elle avait cette étonnante faculté de parvenir à prendre des notes sans jamais relâcher l'attention qu'elle semblait focaliser sur moi. J'ai bien essayé de distinguer ce qui était important pour elle de ce qui ne l'était pas, mais tout semblait important. Enfin, elle demanda à voir ma chambre. Je l'y accompagnai. Elle en fit le tour, tout en examinant un à un les objets qui s'y trouvaient. Puis elle commença à me poser des questions sur mes poupées, mes vêtements, mes photos. Qui m'avait donné ceci ? Qui m'avait donné cela ? Quel sentiment éprouvais-je pour celui-ci, pour celui-là ? Est-ce que j'y tenais particulièrement ? Pourquoi ? Chaque fois qu'elle m'interrogeait, à chaque réponse que je lui donnais, je ne pouvais m'empêcher de me demander : *Suis-je en train d'avantager mon père au détriment de ma mère ? Suis-je en train d'avantager ma mère au détriment de mon père ?*

« C'est alors qu'elle lança ce jeu des “et si”, me proposant de m'imaginer dans certaines situations et d'exprimer mes réactions.

– Le jeu des « et si » ? répéta Misty, une expression de parfaite incompréhension sur le visage.

– « Et si ton père obtenait le droit de garde et ta mère la maison, serais-tu contrariée de devoir déménager pour vivre avec lui ? » disait-elle, par exemple. « Et si tu devais quitter ton lycée ? Et si ta mère déménageait et désirait vivre dans une autre partie de la ville, accepterais-tu de la suivre sans discuter ? Tes amies te manqueraient-elles ? »

« Puis elle me demanda sans ambages comment je réagirais si la cour confiait la garde à mon père et comment je réagirais si c'était ma mère qui l'emportait.

« Elle fut étonnée quand je lui répondis que cela m'était égal.

« “Dis-tu cela parce que tu as peur de causer du tort à l'un ou à l'autre ?” s'enquit-elle.

« Je réfléchis un moment avant de lui

répondre : “Non, j’ai dit cela parce que, dans la mesure où je n’ai déjà pas l’impression de vivre avec eux, maintenant, que je vive avec l’un ou avec l’autre, après, ne changera sans doute pas grand-chose à l’affaire.”

« Je me souviens de cette façon dont elle m’a regardée, avant de jeter quelques notes sur son bloc. Elle m’a ensuite annoncé qu’elle reviendrait quand mes parents seraient là. Je lui ai alors conseillé de prévenir longtemps à l’avance. “Je ne sais même pas quand vous pourrez les trouver tous les deux à la maison”, lui ai-je expliqué.

« J’étais impliquée, maintenant. Je pataugeais avec eux dans ces sables mouvants qu’était devenue leur relation conjugale, et je détestais cela. Grâce à Rosina, mes parents furent informés de la visite du Dr Morton. Chacun d’eux trouva alors le moyen de m’isoler dans un coin pour m’interroger sur elle et sur les questions qu’elle m’avait posées. Ils étaient tous deux très surpris que je ne leur eusse rien dit moi-même de cette entrevue. Et j’ai bien vu que c’était, pour eux, la preuve irréfutable que j'avais pris le parti de l'autre contre lui.

« "Que voulait-elle savoir à notre sujet ?" me demandèrent-ils tous les deux. Mais ce qu'ils brûlaient de me demander, en réalité, c'était : "Que voulait-elle savoir de moi et que lui as-tu dit ?

« – Elle m'a recommandé de ne pas parler des questions qu'elle m'avait posées, leur répondis-je, à l'un comme à l'autre. Non pas qu'elle m'en ait posé tant que cela ou que je lui en aie tant dit. En fait, elle a posé beaucoup de questions sur la maison", ajoutai-je. Ce qui n'était, bien sûr, que pure invention de ma part.

« Je sais qu'aucun ne fut satisfait de mes réponses. À partir de ce moment-là, j'eus l'impression de vivre dans une école d'espionnage, ou quelque chose de ce genre, chacun me jetant des coups d'œil furtifs au détour des couloirs, écoutant d'une oreille mes conversations quand je parlais au téléphone, surveillant mon courrier, à la recherche du moindre indice qui eût pu le renseigner sur ce que j'avais dit ou ce que je dirais.

« C'en était arrivé à un tel point que je ne voulais plus rentrer chez moi.

J'appréhendais les soirées, surtout les repas, quand ils dînaient tous les deux à la maison. Je voyais bien qu'ils analysaient tout ce que je disais, même le plus anodin de mes commentaires était décortiqué. Tant et si bien que, très rapidement, je cessai de parler et, s'ils me posaient des questions, ne répondais plus que par monosyllabes.

« L'atmosphère funèbre, que je ressentais depuis quelque temps déjà dans la maison, s'épaississait tel un brouillard. Je sentais la tension monter ; je voyais la crise arriver : tôt ou tard, l'orage allait éclater, c'était inévitable.

« La seule façon que j'avais trouvée d'échapper à cette ambiance insupportable et de les éviter, eux, c'était de m'enfermer dans ma chambre et de disparaître dans le monde virtuel de mon écran d'ordinateur. Jusqu'alors, je m'étais essentiellement servie de mon PC pour mon travail scolaire, mais j'avais récemment découvert des *chat rooms* dans lesquels les gens parlaient des films ou des groupes que j'aimais.

– Des « *chat rooms* » ? répéta Star.

Oui, ou des salons de discussion, si tu

préfères. Tu n'as donc pas de micro-ordinateur ?

Qui n'avait pas d'ordinateur, de nos jours ?

– Ça ne risque pas, répondit-elle. On a déjà de la chance d'avoir un micro-ondes !

Misty s'esclaffa et même Cat ébaucha un sourire.

– En pratique, tu te connectes au réseau et tu peux parler à des tas de gens à travers tout le pays — ou même à travers le monde entier, d'ailleurs.

– Parler ?

– Eh bien, tu ne parles pas vraiment. Tu écris et ils te répondent aussitôt, de sorte que tu peux avoir une véritable conversation — avec des dizaines de personnes simultanément même, si tu veux. Certaines de mes amies sont devenues complètement accro.

« Un soir, j'ai découvert un *chat* privé. Je suis juste restée assise là, à lire les dialogues. La plupart des gens s'inventent des noms, mais il arrive parfois que leur pseudonyme trahisse certains aspects de leur véritable personnalité : Metal Fan est probablement un fan de hard rock, par exemple, tu comprends ?

– Je crois.

– Quoi qu'il en soit, j'étais en train de suivre cette discussion quand un certain Solitary Boy a attiré mon attention. Il racontait que ses parents étaient en plein divorce et que cela se passait très mal entre eux. Je lui ai demandé quel âge il avait et il m'a répondu qu'il avait dix-sept ans. Il m'a dit qu'il avait un petit frère qui vivait ce divorce encore plus mal que lui. En fait, son petit frère suivait déjà une thérapie parce qu'il recourait à la violence pour extérioriser son malaise : il cassait des objets, provoquait des bagarres à l'école… un peu comme le tien, Star.

« Toujours est-il qu'après quelques échanges, Solitary Boy et moi avons rapidement quitté le *chat* pour communiquer par e-mails. C'est à ce moment-là qu'il m'a appris qu'il vivait à San Francisco. Plus il me disait de choses sur lui et plus je lui disais de choses sur moi.

– Pourquoi tu ne l'as pas appelé directement au téléphone, plutôt ? me demanda Star.

– Je ne sais pas. Il ne me l'a pas proposé

et moi non plus. Je crois qu'il avait peur d'entendre ma voix, ou peut-être la sienne. Il ne m'avait pas encore dit son nom. Son vrai nom, je veux dire.

– Juste Solitary Boy, c'est tout ? s'étonna Misty. Pendant tout ce temps ?

– Oui. Je dois reconnaître que c'était plus simple comme cela. Tu ne te retrouves pas directement confronté à l'autre, tu comprends ? Tu te sens... plus en sécurité ? dis-je, en coulant un regard hésitant vers le Dr Marlowe.

« Je lui ai confié tout ce que je vous ai raconté, ou presque, poursuivis-je. Sa propre situation était beaucoup plus dramatique que la mienne. Elle ressemblait davantage à ce que Star a vécu chez elle. Sa mère avait découvert que son père avait une liaison avec une autre femme et ils s'étaient battus devant son petit frère qui avait vu son père frapper sa mère. La police était intervenue. Cela s'était terminé par un divorce pour faute : coups et blessures et violence conjugale, en l'occurrence. Solitary Boy aimait beaucoup son père. Mais il s'était détourné de lui quand il avait appris qu'il trompait sa mère. Ils s'étaient violemment disputés, tous les deux. Plus tard, son père et lui avaient réussi à discuter calmement et Solitary Boy disait qu'il ne le haïssait plus autant. Il comprenait un peu mieux ce que son père avait vécu et la raison pour laquelle il avait trahi sa mère.

« Il n'en demeurait pas moins qu'il était très malheureux et qu'il se faisait énormément de souci pour son petit frère. Il en voulait surtout à son père parce que leur mère avait fini par les abandonner.

– Comment a-t-elle pu abandonner ses propres enfants ? s'insurgea Misty.

– Peut-être que ses problèmes de couple n'étaient qu'un faux prétexte et qu'elle en avait profité pour s'en aller : faire ce qu'elle avait toujours eu envie de faire, en fait ? suggéra Star.

– C'est ce que Solitary Boy croyait, je pense, quoique son père ne fût pas exempt de toute responsabilité non plus, même s'il disait qu'il se sentait pris au piège d'un mariage raté et qu'il ne savait plus comment faire pour s'en sortir.

– Tu n'as jamais cherché à savoir son vrai nom ? s'enquit Misty.

– Il a fini par m'avouer qu'il s'appelait Craig Bennet. Il m'a donné son adresse et m'a même décrit sa maison : une vieille maison de famille dont son père avait hérité.

– Et lui, il savait déjà ton nom ? me demanda Star.

– Oui. Je n'y connaissais pas grand-chose en *chat,* quand j'avais commencé à m'y intéresser, et j'avais utilisé mon vrai nom. Après quelque temps, enchaînai-je, reprenant le fil de mon récit, Craig commença à me donner des conseils sur la façon de gérer mes problèmes à la maison. Certains me parurent très pertinents, comme celui de m'investir davantage dans les activités que j'aimais, par exemple. Il disait que la meilleure chose à faire pour moi, à ce stade, c'était de devenir aussi égocentrique que mes parents, de cesser de m'inquiéter pour eux et de penser à ce qu'ils éprouvaient pour ne plus me soucier que de moi et de ce que je ressentais. "Ce n'est pas parce qu'ils ont gâché leur vie, me disait-il, qu'il faut que tu les laisses te gâcher la tienne.

« – N'oublie pas que, pour toi, c'est une question de survie, me disait-il encore. Survivre, tu ne devrais plus penser qu'à ça, à la façon dont il faut que tu t'y prennes pour ne pas te laisser étouffer par leurs petits problèmes mesquins."

« Mais nos sujets de discussion n'étaient pas toujours aussi sérieux. Il connaissait des tas de blagues hilarantes qui me faisaient rire toute seule devant mon écran. Peu à peu, notre relation est devenue de plus en plus forte jusqu'à ce que j'aie le courage de scanner ma photo et de la lui envoyer par courrier électronique. J'étais sur des charbons ardents en attendant sa réponse. Elle se limita à un seul mot.

– Lequel ? s'impatienta Misty, presque aussi excitée que moi, le jour où j'avais vu s'inscrire ce fameux message.

– « Ouah ! »

Misty éclata de rire.

– Je lui ai demandé de m'envoyer la sienne. C'est ce qu'il a fait. Il n'était pas vilain garçon. Il avait un visage délicat et des traits qui laissaient deviner une grande sensibilité. Je ne lui ai pas renvoyé un « Ouah ! » aussi enthousiaste, mais je lui ai dit que je le trouvais mignon et qu'il ne devrait pas avoir de problème pour trouver quelqu'un.

« Il m'a répondu qu'il avait déjà trouvé quelqu'un : moi.

« J'ai commencé à reprendre confiance en moi. Non pas qu'il manquât de garçons qui auraient aimé sortir avec moi, mais aucun ne voulait entendre parler de mes problèmes. Craig semblait tellement plus mature que les garçons du lycée. Or, ce dont j'avais par-dessus tout besoin, à ce moment de ma vie, c'était bien d'un ami sincère, attentif et assez mûr pour comprendre ce que j'étais en train de traverser. J'ai vraiment eu de la chance de trouver quelqu'un qui, par bien des aspects, était dans la même situation que moi, et en même temps, de surcroît.

– Oh ouais, formidable ! fit Star d'un air las propre à me faire savoir qu'elle commençait à s'ennuyer.

– Je ne fais qu'essayer d'expliquer pourquoi j'ai fait cela, me défendis-je.

– Pourquoi tu as fait quoi ? me demanda-t-elle.

– Pourquoi j'ai décidé qu'au moment où je partirais, c'est vers lui que j'irais. Je ne sais pas ce que je croyais. Je suppose que j'étais devenue si avide de mots gentils, de sentiments et de pensées bienveillantes que je me suis laissée déborder par mon imagination.

« Je me voyais auprès de quelqu'un qui comprenait parfaitement tout ce que je ressentais et je voulais tirer un trait sur ma vie à la maison, ne plus répondre à une seule question, ne plus jamais avoir affaire à des avocats, ni à des juges et, surtout, ne plus avoir à entendre mes parents se rabaisser mutuellement à seule fin de me gagner à leur cause.

« Un soir, après que l'enquête sociale avait débuté et que le juge avait commencé d'entendre successivement mon conseiller d'éducation, quelques-uns de mes professeurs et des amis de la famille, mes parents eurent une dispute particulièrement violente. Ils s'accusaient de sabotage, chacun reprochant à l'autre de lui assener de perfides coups de couteau dans le dos dans l'intention de le faire passer, aux yeux de tous, pour un père ou une mère indigne. Leurs avocats étaient allés tâter le terrain du côté du Dr Morton pour tenter de sentir venir le vent et, apparemment, au stade où en était son enquête, le portrait qu'elle traçait d'eux n'était pas très flatteur, ni pour l'un ni pour l'autre.

« “Tu fais tout pour que ma fille me haïsse ! s’insurgeait mon père.

« – C’est exactement ce à quoi tu espères parvenir, rétorquait ma mère. Tu essaies de lui bourrer le crâne de mensonges à mon sujet.”

« Je m’enfermai dans ma chambre et poussai à fond le volume de ma chaîne stéréo pour couvrir leurs voix.

« Quelques heures plus tard, ils venaient à tour de rôle frapper à ma porte pour se plaindre du comportement de l’autre à son égard. J’ignorai leurs jérémiades et leur rappelai, à tous deux, que c’était la semaine de la remise des prix, laquelle s’achevait par une cérémonie officielle et une réception, le jeudi suivant. Étant, on ne sait comment, parvenue à maintenir mes moyennes au plus haut niveau, je figurais toujours au tableau d’honneur et je serais donc invitée à participer aux festivités. Tous les parents seraient là. Cependant, mon père devait partir pour le Texas et ma mère s’était déjà inscrite à un congrès de cosmétologie à Atlanta. Aucun des deux ne s’était souvenu de la manifestation annuelle. Mieux encore, l’un et l’autre avaient été parfaitement rassurés et déculpabilisés en apprenant que son rival n'y serait pas non plus. Vous voyez ce que je veux dire ?

– Ni l'un ni l'autre ne trouveraient grâce aux yeux du Dr Morton parce qu'ils t'abandonnaient, tous les deux, au moment où tu avais besoin d'eux, me répondit Cat.

– Exactement.

– Mais toi, dans tout ça ? me demanda Misty.

– Et oui. Et moi, dans tout cela ?

Leur impatience était presque palpable. Je souris.

– Je décidai de ne pas y aller non plus. J'avais déjà un autre engagement, moi aussi.

– Quel engagement ? s'étonna Star.

– Un engagement que j'avais pris vis-à-vis de moi-même. L'engagement de m'enfuir, lui répondis-je. Et c'est exactement ce que j'ai fait.

5

– Le moment me paraît bien choisi pour prendre notre petite pause déjeuner, déclara le Dr Marlowe.

– Je préférerais écouter Jade raconter la fin de son histoire, renâcla Misty.

– Toi peut-être, ma vieille, lui rétorqua Star. Mais mon estomac gargouille et son histoire sera toujours là quand on reviendra.

– Je suis sûre que Jade appréciera ces quelques instants de répit, insista le Dr Marlowe.

Je n'avais pas faim, mais j'accueillis la proposition avec soulagement. Quand je me levai, j'eus l'impression que je venais de courir un marathon. Passer près de deux heures sur les montagnes russes, même émotionnelles, peut se révéler épuisant. Je l'apprenais à mes dépens.

Sur une moitié de la table de la

véranda, Emma avait dressé un buffet avec de fines tranches de rosbif froid, un large plateau de fromages, de la salade et une variété de petits pains spéciaux, sans oublier les gâteaux secs pour le dessert.

– J'ai changé d'avis, annonça Misty, en découvrant l'appétissant spectacle. Je trouve que c'est une excellente idée, cette pause déjeuner.

Star émit un grognement inarticulé, mais Cat s'autorisa un large sourire. Je dis « s'autorisa » parce que, jusqu'alors, son sourire m'avait toujours paru étouffé par sa timidité ou peut-être par cette peur qui semblait l'habiter à demeure. Chaque fois qu'un sourire se dessinait sur ses lèvres, j'avais l'impression que, pour s'imposer, il lui fallait lutter contre une écrasante chape de tristesse, une tristesse qui lui était devenue si familière qu'elle l'imprégnait complètement comme l'encre imprègne un buvard.

– Allez-y sans façons, mesdemoiselles ! nous encouragea le Dr Marlowe. Servez-vous !

Chacune composa son assiette à son goût avant de prendre place à table. Le Dr Marlowe s'assit la dernière. Emma ne cessait d'entrer et de sortir, remplissant les plats de viande et de fromage au fur et à mesure que nous les dégarnissions. Avec le monceau de nourriture qu'elle apportait, vous auriez aisément pu rassasier trois fois plus de convives.

– Merci, Emma, lui lança le Dr Marlowe, comme sa sœur s'empressait de retourner en cuisine.

– Pourquoi Emma ne déjeune-t-elle pas avec nous ? s'étonna Misty.

– Elle a peut-être peur d'attraper quelque chose, persifla Star.

– Que pourrait-elle bien attraper ? lui demandai-je d'un air ingénu. De mauvaises manières ?

Elle me dévisagea un long moment, puis secoua la tête en silence et mordit dans son sandwich.

– Emma a toujours été très timide, commenta le Dr Marlowe. Elle aime à ne penser que le plus grand bien des gens et cherche à ne voir que leurs meilleurs côtés.

– C'est donc pour ça qu'elle est comme ça, marmonna Star.

– Comment cela « comme ça » ? Qu'entends-tu par là ? Tu ne sais rien d'elle, lui objectai-je.

Elle eut un petit rictus dédaigneux, comme si je venais d'énoncer une stupidité sans nom.

– Pourquoi, tu estimes la connaître, peut-être ? insistai-je.

– Elle vit ici, avec sa sœur, et joue pratiquement les bonnes dans sa propre maison. Qu'est-ce qu'elle a dans la vie ? Qu'est-ce qui lui reste ? Je ne suis pas aveugle et je ne vois pas le monde à travers des... comment vous avez appelé ça, déjà ? demanda-t-elle au Dr Marlowe. Des lunettes roses ?

– J'ai effectivement dit qu'Emma préférait voir la vie en rose, oui. C'était une façon de parler, répondit le Dr Marlowe, avec un sourire amusé. Mais elle n'est pas aussi malheureuse que tu pourrais le penser, Star. Elle se sent bien ici. Elle est en sécurité : elle est chez elle. Elle sait que je ferais tout ce que je peux pour elle et elle ferait de même pour moi. Par les temps qui courent, c'est déjà beaucoup.

– Ah ! je dis amen là-dessus, capitula Star.

Mais il suffisait de la regarder dans les yeux pour voir qu'elle demeurait sceptique.

Après l'avoir entendue raconter son histoire, je ne pouvais pas lui en vouloir de douter du bonheur d'Emma. J'espérais seulement, comme le Dr Marlowe, que nous aurions réellement un effet positif les unes sur les autres !

– Vous l'analysez aussi ? s'enquit Star, formulant à haute voix la question que nous nous posions toutes.

– Pas à proprement parler, non. Mais nous parlons beaucoup. Vous seriez surprises de l'aide précieuse qu'elle m'apporte.

– Étiez-vous très proches quand vous étiez plus jeunes ? demanda Misty.

– Pas autant que je l'aurais voulu, non. Et puis, Emma s'est mariée de bonne heure.

– Comment ça « de bonne heure » ? demanda Star.

– Elle n'avait que dix-neuf ans.

Depuis le temps que je venais chez elle, j'avais appris à déchiffrer les expressions de ma psychiatre et je savais quand quelque chose lui déplaisait. Je le percevais, à présent, à sa voix et à la façon dont elle détournait brusquement les yeux, comme si elle espérait détourner aussi la conversation.

– Vous pensez qu'elle n'aurait pas dû se

marier ? lui demandai-je, ravie d'inverser les rôles : à elle d'être sur la sellette, pour changer.

– Mon père était un homme autoritaire au caractère bien trempé. C'est lui qui a estimé que ce serait mieux pour elle, répondit-elle.

– Vous voulez dire que c'est lui qui a arrangé le mariage ? s'exclama Misty, une sincère incrédulité dans ses grands yeux candides.

– Disons qu'il a exercé une pression certaine sur chacune des personnes concernées.

– Tout le monde croit toujours savoir ce qui est mieux pour tout le monde ! s'insurgea Star, en me regardant avec insistance. Et que ça distribue des conseils en veux-tu en voilà, et que ça la ramène pour un oui pour un non. On donne dans le « Allô Macha » à chaque coin de rue, de nos jours.

Le Dr Marlowe partit d'un petit rire joyeux.

– J'ai bien peur que Star n'ait raison, sur ce point.

– Les gens pensent peut-être qu'en se bourrant le crâne avec les problèmes des autres, ça leur évitera de se prendre la tête avec les leurs, poursuivit Star.

– Il se pourrait fort que tu sois dans le vrai, lui dit le Dr Marlowe. C'est une remarque très pertinente, Star.

Star mordit derechef dans son sandwich, si flattée du compliment qu'elle en rayonnait. Elle jubilait comme une gamine que vient de féliciter son professeur. Ce fut plus fort que moi, j'éclatai de rire.

– Qu'est-ce qu'il y a de si drôle ? m'apostropha-t-elle.

– Nous, dis-je. Et dire que nous avons pu penser, une seule seconde, avoir quelque chose à offrir aux autres.

– Ne sois pas si dure envers toi-même, Jade, me tança le Dr Marlowe. Tu serais surprise de constater combien les difficultés de la vie nous enrichissent et nous instruisent. C'est la raison pour laquelle je tenais à vous réunir, aussi différentes que vous soyez ou peut-être, plutôt, à cause de ces différences.

– Ça lui ferait sans doute du bien d'emprunter les lunettes roses d'Emma, ironisa Star.

Cat partit d'un tel éclat de rire que nous

nous retournâmes toutes d'un même mouvement vers elle. Elle s'empourpra et retomba aussitôt dans son mutisme habituel.

– Penserais-tu qu'elle a raison, par hasard ? lui demandai-je sèchement.

À ma grande surprise, elle ne battit pas en retraite. Au contraire, elle riva son regard au mien et répondit :

– Je l'espère.

Misty étouffa un gloussement. Les yeux du Dr Marlowe scintillèrent comme un sapin de Noël et Star se leva pour aller se resservir.

Attendez d'avoir entendu la fin de mon histoire ! pensai-je. *Vous ferez peut-être moins les fières. Nous verrons bien, alors, si vous riez toujours autant !*

Et puis, soudain, une autre pensée me traversa l'esprit : *Pourquoi ne veux-tu donc pas qu'elles soient heureuses ?* me demandai-je.

Parce que « chagrin partagé est moins lourd à porter » ?

Eh bien, moi, j'aimerais mieux être seule et heureuse.

Comme nous regagnions le bureau du Dr Marlowe, j'eus l'impression de rentrer en scène après l'entracte, comme lorsque je faisais du théâtre à l'école. J'avais interprété deux pièces : une au collège et une en première. Et puis j'avais laissé tomber, en dépit des demandes réitérées de mon professeur d'art dramatique qui aurait voulu me faire passer des auditions pour tous les spectacles du lycée. Je me disais peut-être que, sous les feux de la rampe, quand le projecteur concentrerait toute la lumière sur moi, chacun dans l'assistance pourrait se rendre compte que je n'étais plus que l'ombre de moi-même, au sens propre du terme.

Je respirai à fond et repris mon récit :

– Le soir de la remise des prix, je dînai en tête à tête avec moi-même. Attristée de me voir seule dans la grande salle à manger déserte, Mme Caron m'avait mitonné mon plat favori : une escalope Lucullus, accompagnée de pommes de terre en robe de chambre avec juste une noisette de beurre.

– « En robe de chambre » ! s'exclama Star. Pourquoi pas en pyjama, pendant que tu y es ! Et puis, qu'est-ce que c'est encore que ça, une escalope lulucu… ?

– Lucullus. C'était un général romain.

L'escalope du même nom est une escalope de veau recouverte de jambon et nappée de fromage. C'est français. Et, pour ta gouverne, « en robe de chambre » cela veut dire : avec la peau.

– Oh ! Pardonnez mon ignorance ! Mais je préfère cent fois le poulet à la texane de mamie. Ça, au moins, c'est américain.

Je levai les yeux au ciel.

– Puis-je continuer ?

– Oh mais ! Faites, faites, je vous en prie, minauda Star d'un ton sarcastique.

– Merci. J'étais navrée pour Mme Caron, mais je n'avais vraiment aucun appétit. Elle me demanda si j'étais malade et j'en profitai pour m'excuser auprès d'elle et lui dire de mettre les restes de côté pour moi. Elle les gardait rarement. Ma mère fait une fixation sur les restes. Avec ce que nous jetons chaque semaine, on pourrait nourrir une famille entière une semaine de plus. Mon père s'en offusque régulièrement, mais, à chaque fois, ma mère l'accuse d'être « prêt à mettre notre santé en péril pour faire l'économie d'un malheureux dollar ». En général, il n'insiste pas.

« Je me levai de table et déambulai à travers la maison vide. J'aurais pu jurer que l'écho de leurs disputes résonnait encore dans presque toutes les pièces. J'imaginais la maison elle-même s'étiolant lentement, les couleurs pâlissant, les fenêtres s'obscurcissant, comme si la tempête du divorce s'abattait sur elle, déversant des torrents de ténèbres et de tristesse sur tous les meubles, les tableaux, les photos et le moindre bibelot. Une haine implacable suintait de tous les murs de ce que j'avais pris pour un cocon douillet et qui, il y a si peu de temps encore, représentait, pour moi, le meilleur des mondes.

« Cette idée me fit rire, tant et si fort que Mme Caron et Rosina sortirent de la cuisine pour voir ce qu'il se passait.

« "Tout va bien ? me demanda Mme Caron, visiblement inquiète.

« – Pardon ? Oh oui ! lui répondis-je. Tout va très bien. C'est juste la pluie qui me fait rire.

« – La pluie ? répéta-t-elle, en jetant un coup d'œil vers Rosina qui me dévisageait d'un air soucieux. Mais il ne pleut pas, Jade.

« – Ah non ? Ce sont sans doute des larmes, alors. La maison pleure. Oui, c'est cela, madame Caron, la maison sanglote. Ne l'entendez-vous pas ? Écoutez !" lui dis-je, en penchant la tête comme si je tendais l'oreille.

« Elles me dévisagèrent avec des yeux ronds. Je les rassurai d'un sourire, en leur recommandant de ne pas s'angoisser. Mon père n'avait-il pas conçu cette maison à l'épreuve des larmes, dussent-elles tomber à torrents des mois et des mois durant ?

« Je tournai aussitôt les talons pour gravir l'escalier, les mains plaquées sur les oreilles, et m'enfermai dans ma chambre. Pendant longtemps, je restai assise sur mon lit à me regarder dans mon miroir de poche, puis j'essayai, malgré tout, de me soumettre au rituel de ma préparation pour le bal de la remise des prix, mais, après avoir enfilé ma robe avec des gestes d'automate, comme je me plantais devant la psyché pour m'examiner, j'éclatai en sanglots.

« Je songeai que c'était contagieux, que la maison me contaminait. *Il faut que je parte d'ici avant qu'il ne soit trop tard,* me dis-je.

Je me précipitai alors dans mon dressing, jetai quelques vêtements dans un petit sac à dos, puis appelai un taxi. Je demandai d'abord au chauffeur de me conduire à la banque et retirai cinq cents dollars d'un distributeur avec ma carte, puis je me fis conduire à l'aéroport. Là, j'achetai un billet pour le prochain vol à destination de San Francisco. Je me souviens d'avoir regardé ma montre dans l'avion, en songeant qu'à cette heure-là j'aurais dû être sur l'estrade à scruter la brillante assemblée, cherchant en vain les miens parmi tous ces parents et amis venus féliciter les lauréats. Je fermai les yeux et m'endormis.

« Arrivée à San Francisco, je pris un taxi pour me rendre chez Craig. *Je ne* savais pas du tout ce que j'allais dire ou faire, une fois là-bas. Je n'avais qu'une idée en tête : le voir. Je voulais juste lui parler, passer un petit moment avec lui.

Il habitait sur Richland Avenue, près de Holly Park. J'étais déjà venue à San Francisco, mais jamais dans ce quartier. La maison de Craig me parut aussi vieille qu'il me l'avait décrite. C'était un bâtiment de deux étages avec un toit en pente douce et des baies vitrées en rotonde au rez-de-chaussée, une de ces maisons que l'on dit "baroque à l'italienne" dont le stuc avait viré à l'ocre jaune, avec le temps.

« Il était neuf heures passées quand j'arrivai. Seule une faible lueur trouait les rectangles noirs des fenêtres au rez-de-chaussée. *Il n'y a personne,* me dis-je. Par acquit de conscience, j'allai tout de même sonner. Je n'avais quand même pas fait tout ce trajet pour rien ! J'avais déjà rebroussé chemin, quand j'entendis derrière moi : "Oui ?" Je me retournai. Un homme mince, assez grand, se tenait sur le seuil. De maigres cheveux grisonnants lui tombaient dans les yeux et sur les oreilles. Il faisait trop sombre pour que je puisse distinguer les traits de son visage.

« "Je cherche un certain Craig Bennet", lui dis-je d'une voix mal assurée. Je me sentais terriblement nerveuse.

« Il restait là, à me regarder fixement, comme s'il attendait toujours que je lui adresse la parole. À tel point que j'en vins à douter de lui avoir parlé. Je répétai le nom de Craig.

« "Qui es-tu ?" me demanda-t-il. Je lui répondis et, de nouveau, il resta planté là, à me regarder sans bouger.

« “Oh ! s’exclama-t-il enfin. Craig m’a parlé de toi. Tu es la fille de l’ordinateur.

« – Oui, acquiesçai-je, en souriant, amusée par cette appellation. Je suis la fille de l’ordinateur.”

« Après tout, vu l’état second dans lequel je me trouvais et l’impression de totale irréalité que me donnait cette conversation, j’aurais tout aussi bien pu être une créature virtuelle tout droit sortie d’un ordinateur.

« “Mais qu’est-ce que tu fais là ? s’enquit-il.

« – Eh bien, comme je venais à San Francisco, j’ai pensé que ce serait une bonne idée d’enfin se rencontrer, lui répondis-je.

« – Oh oui, oui ! s’exclama-t-il. C’est une bonne idée. Viens, mais entre donc.

« – Craig est-il là ?” lui demandai-je d’un ton hésitant. Plus malignes que ma tête, mes jambes me retenaient, refusant d’avancer.

« “Non, pas pour l’instant, me répondit-il. Il est parti faire quelques courses pour nous. Mais il va bientôt rentrer.”

« Il recula et attendit.

« “Entre, entre, insista-t-il, en me tenant poliment la porte. Il ne tardera pas.”

« Je gravis les marches et pénétrai dans la maison. Dieu qu'il faisait sombre, à l'intérieur, et que cette odeur de renfermé vous prenait à la gorge ! J'examinai le décor : des moulures à mi-hauteur couraient en ligne droite tout le long du vestibule et une vieille horloge occupait le coin gauche. Apparemment, elle ne fonctionnait pas.

« “J'étais en train de lire, me dit-il. C'est une chose que vous ne faites plus assez, vous les jeunes. Surtout maintenant que vous avez découvert l'ordinateur. Viens t'installer dans le salon. Veux-tu boire quelque chose ?”

« Je déclinai son offre et lui emboîtai le pas. En fait de salon, il s'agissait d'une toute petite pièce envahie de meubles anciens, manifestement authentiques.

– Comment tu peux savoir ça ? s'étonna Star, d'un air méfiant.

À l'entendre, vous auriez pu croire que j'avais tout inventé. Comme si j'avais pu inventer une chose pareille !

– Mon père, lui expliquai-je. Que je le

veuille ou non, il a dû déteindre un peu sur moi.

« Pour en revenir à ce que je disais, repris-je, une pointe d'agacement dans la voix, la lueur que j'avais aperçue du dehors provenait d'une petite lampe posée sur un guéridon de style Chippendale assorti à la bergère à oreillcs complètement élimée qui trônait près de la cheminée.

J'avais forcé sur les détails à seule fin de l'exaspérer, je l'avoue.

– "Eh bien, assieds-toi donc, me dit-il, en désignant le canapé qui lui faisait face. On dirait que tu viens d'arriver.

« – C'est le cas, confirmai-je.

« – Qui c'est que tu viens voir ? me demanda-t-il.

« – Personne, ai-je eu la bêtise de répondre. C'est-à-dire que… Je suis partie sur un coup de tête."

« Il s'assit et me sourit. À la lumière dc la lampe, la ressemblance avec Craig me parut frappante — avec la photo qu'il avait jointe à son e-mail, du moins. Il avait les mêmes yeux profondément enfoncés dans les orbites et ce même nez bien droit, mais un peu trop long qui lui donnait toute sa personnalité. Il avait les mêmes lèvres charnues et ce même léger petit creux au niveau des joues qui faisait ressortir ses pommettes et sa mâchoire.

« “Craig est complètement tombé sous le charme, tu sais, me dit-il. Il parle de toi sans arrêt.

« – Vraiment ? lui répondis-je. Vous savez, nous nous sommes très bien entendus dès le début et j'ai pensé que ce serait sympathique si nous pouvions enfin nous voir.”

« Il flottait une étrange odeur dans la maison, plus qu'une simple odeur de renfermé. Cela ressemblait à de l'encens ou peut-être à de l'eucalyptus. J'ai dû froncer le nez ou quelque chose de ce genre parce qu'il a ri et m'a dit : “On vient tout juste de finir de dîner. Je ne suis pas très bon cuisinier : j'ai encore fait brûler les pommes de terre. On en était au café quand on s'est rendu compte qu'il n'y en avait plus. On n'est pas plus doués l'un que l'autre pour les tâches ménagères”, confessa-t-il. En remarquant son petit défaut de prononciation et la façon dont il tordait légèrement la bouche du côté droit quand il parlait, je me suis demandé s'il n'avait pas été victime d'une congestion cérébrale ou quelque chose d'approchant. Maintenant que je le regardais plus attentivement, je me rendais bien compte que sa maigreur avait quelque chose de maladif et que son corps paraissait étrangement déséquilibré, impression due, notamment, au fait que son épaule droite était plus basse que son épaule gauche.

« "Où est Sonny ? lui demandai-je, quêtant en vain les indices qui auraient pu trahir la présence d'un petit garçon.

« – Oh ! Il est parti avec Craig. Ces deux-là sont inséparables. Sonny n'aime rien tant que passer son temps avec Craig. Il l'admire comme si Craig était un super-héros et Craig adore son petit frère et joue les protecteurs. Ils sont devenus comme ça, dit-il en brandissant un poing noueux. Depuis qu'elle nous a quittés, on ne fait plus qu'un, nous trois.

« – C'est formidable", lui répondis-je avec un sourire. Cela avait effectivement l'air formidable, sauf que, d'après ce que Craig m'avait écrit dans ses e-mails, je ne pensais pas que la vie fût aussi rose chez les Bennet que M. Bennet voulait bien me le faire croire.

« “Il t’a parlé de cette maison, non ?” me demanda-t-il.

« J’acquiesçai.

« “Avec un père architecte, tu peux apprécier, j’imagine. C’était vraiment quelque chose, en son temps.

« – Craig vous a effectivement beaucoup parlé de moi, apparemment, lui répondis-je. Il vous a même dit que mon père était architecte.

« – Oh oui ! On ne se cache plus grand-chose. C’est parce qu’on ne fait plus qu’un, maintenant, m’expliqua-t-il, en brandissant de nouveau son poing osseux. Elle n’a pas réussi à nous détruire, quand elle est partie. Au contraire, elle nous a soudés. D’un certain côté, je suis bien content qu’elle soit partie. Elle n’était pas heureuse. Ce n’est pas le genre de femme qui se sent bien avec un fil à la patte. Elle avait la bougeotte. On s’est mariés trop jeunes. On aurait dit que je devais dresser un cheval sauvage. Les gamins, pour elle, c’étaient comme des chaînes de plomb qui l’attelaient aux brancards d’une vie de femme au foyer qu’elle détestait. On a arrêté de faire l’amour après la naissance de Sonny : elle avait peur de se retrouver encore enceinte. Et tu sais bien ce qui arrive à un mariage, quand l'amour s'en va...

« – Oui", lui répondis-je, plutôt étonnée du tour que prenait la conversation. N'était-il pas curieux qu'il confie des choses aussi intimes à une étrangère ? Mais je suppose que, dans son esprit, du fait de ma correspondance avec Craig, je n'étais déjà plus une étrangère pour lui.

« "Craig t'a un peu parlé du divorce, hein ? poursuivit-il. Je sais, en tout cas, que tu lui as parlé de celui de tes parents."

« J'acquiesçai. En fait, je commençais à m'inquiéter. Jusqu'où Craig était-il allé dans les confidences à mon sujet ? Plus loin qu'aucun de mes amis, avec leurs parents, en tout cas. Aurait-il poussé l'indiscrétion jusqu'à imprimer mes e-mails pour les montrer à son père ?

« Comme s'il avait lu dans mes pensées, M. Bennet ajouta : "Craig nous lit souvent tes lettres avant le dîner. Je suis désolé pour les problèmes que tu as chez toi. D'après ce que tu lui racontes, tes parents ont l'air de... de parfaits crétins, il faut bien le dire. Comment peuvent-ils ne pas se rendre compte de ce qu'ils te font ? Ça fait tellement de peine à Craig, quand il lit ça. Ça le met en colère, à tel point qu'il n'arrive plus à avaler quoi que ce soit : ça lui coupe l'appétit, imagine-toi. Il voudrait savoir pourquoi les adultes sont si cruels avec leurs propres enfants.

« "Et puis il se met à parler de sa propre mère et m'abrutit de questions — pour pouvoir te la décrire, je suppose. Mais j'ai horreur de parler d'elle. J'essaie de l'oublier, tu comprends. J'en suis même arrivé à ne plus pouvoir me souvenir de son visage. On peut réussir à repousser certaines idées, quand on le veut vraiment, tu sais. Il suffit de te forcer à penser à autre chose dès que la mauvaise idée se présente. Tu lui dis : 'Non, non ! Va-t'en ! Va-t'en !'"

« Il avait presque crié.

« "Je me suis entraîné en m'asseyant devant un miroir, en me regardant droit dans les yeux et en mettant les souvenirs au défi de sortir de ma mémoire, poursuivit-il. Tu devrais essayer un jour. Ça marche, tu sais, ça marche."

« Je lui souris tout en jetant discrètement un coup d'œil autour de moi. Il m'avait dit que Craig et lui n'étaient pas très doués pour les tâches ménagères et je voulais bien le croire, mais même un bon coup de chiffon n'aurait pas suffi à redonner au salon un aspect civilisé. Il y avait des toiles d'araignée dans tous les coins et une épaisse couche de poussière recouvrait le manteau de la cheminée. En baissant les yeux, je découvris au pied de son fauteuil ce qui ressemblait aux reliefs de plusieurs repas qui pourrissaient là depuis des semaines et j'aurais juré avoir aperçu un rat qui se faufilait sous la bibliothèque.

– Beurk ! lâcha Misty. Pourquoi ne t'es-tu pas sauvée tout de suite ?

– Je voulais toujours voir Craig. Je n'avais tout de même pas fait tout cela pour rien.

« "Tu es aussi jolie que sur ta photo, me complimenta M. Bennet. Craig va être drôlement content de te voir. Tu sais quoi ? fit-il tout à coup, en claquant des mains. Et si je te montrais sa chambre et son ordinateur, en attendant ?

« – Cela ne lui plairait peut-être pas que quelqu'un entre dans sa chambre en son absence, objectai-je.

« – Bien sûr que si ! insista-t-il. Tu n'as

pas envie de la voir ? Après tout, c'est là que votre amitié a commencé. C'est comme… comme une sorte de mémorial pour vous deux, non ?

« – Oui, mais… protestai-je faiblement.

« – Allons, m'interrompit-il. Ne fais pas ta timide. Pas avec Craig. Pas après tout ce que vous avez partagé, tous les deux. Tiens ! Il t'en a dit plus long sur nous qu'il ne l'a jamais fait avec tous les gens de la famille ou même ses meilleurs amis, et je parie que c'est pareil pour toi. Ça se voit dans tes yeux. C'est formidable. C'est quelque chose de rare, de nos jours, ça… la confiance. Tu sais, tu es la chose la plus merveilleuse qui lui soit arrivée depuis… depuis avant."

« Il était en train de mettre en pratique ce qu'il m'avait enseigné : comment repousser les mauvais souvenirs, les empêcher de vous submerger.

« "Et puis, je suis sûr que tu es curieuse de visiter cette vieille baraque, de toute façon, ajouta-t-il, en se levant. Il t'a dit depuis combien de temps elle était dans la famille, non ?

« – Oui, répondis-je. Et puis je connais ce style de maison. Mon père en a construit une pour un de ses clients à Beverly Hills, il y a deux ans.

« – Celle-là a été construite en 1870”, dit-il fièrement, en se dirigeant vers la porte. Puis il s'immobilisa, comme un guide qui attend son groupe de touristes pour la visite. Une fois encore, mes jambes se montrèrent moins bêtes que moi : elles refusèrent de se déplier. Mais je pris appui sur les accoudoirs et me forçai à le suivre. “Elle a subi de nombreuses transformations depuis, évidemment, poursuivait-il. Mais ça fait plus de quarante ans qu'on n'a pratiquement touché à rien.

« “La chambre de Craig se trouve au second. C'est lui qui a la plus belle vue”, commenta-t-il, en appuyant sur l'interrupteur pour allumer une ampoule nue tombant du plafond, avant de m'entraîner dans le vieil escalier branlant.

« Nous gravîmes les marches en colimaçon. Le palier du premier était très étroit et plus petit que je ne l'avais imaginé. Le second tenait davantage du grenier. Il y avait juste une chambre et un petit cabinet de toilette attenant. Il donna de la lumière. Mon regard se posa tout de suite sur l'ordinateur trônant au centre du bureau, à gauche en entrant. L'écran scintillait. Au centre de la pièce se dressait un lit à colonnes et, à la droite du lit, une table de nuit et une penderie. Le lit était fait au carré, parfaitement bordé, avec une rigueur toute militaire.

« Hormis quelques photos de Craig et de Sonny quand ils étaient beaucoup plus jeunes, un poster représentant un avion de chasse et une affiche réunissant les héros de Star Trek — une vieille série télévisée —, les murs étaient complètement nus. L'ensemble me fit une étrange impression : au lieu de pénétrer dans la chambre d'un ami, j'avais plutôt la sensation de remonter dans le temps ou de visiter un musée.

« "Tiens ! s'exclama M. Bennet. Regarde ça !" Il se tenait devant l'ordinateur. "Ta dernière lettre" dit-il, en agitant une feuille de papier. Je m'approchai. C'était le plus récent e-mail que j'avais envoyé à Craig. "Et va donc jeter un coup d'œil à la vue qu'on a de cette fenêtre, me suggéra-t-il, en me la désignant. Tu comprendras pourquoi Craig préfère son pigeonnier à n'importe quelle autre pièce de la maison : on a le plus beau panorama de tout le quartier. Vas-y, va voir !"

« J'obtempérai. Étant donné la couche de poussière accumulée sur le rebord, la fenêtre ne devait pas avoir été ouverte depuis fort longtemps, peut-être même des années. La vue était effectivement superbe, d'autant plus qu'il faisait nuit et que toute la ville s'offrait à mes yeux, tel un tapis de lumières étincelantes étendu à mes pieds.

« "C'est magnifique", lui dis-je, en me retournant vers lui. Il se tenait à la porte, un large sourire aux lèvres.

« "Je suis content que ça te plaise. Profites-en bien, ajouta-t-il, en sortant. Je dirai à Craig que tu es là-haut dès qu'il rentrera.

« – Pardon ? m'étonnai-je en le voyant fermer la porte. Attendez !" Je m'élançais déjà pour le rattraper, quand je me figeai brusquement. Je venais d'entendre un bruit caractéristique : le grincement métallique d'une clef tournant dans une serrure. Le claquement du penne verrouillant la porte me fit l'effet d'une balle sifflant à mon oreille. *Que se passe-t-il ?* me demandais-je. *Qu'est-ce qu'il m'arrive ?*

« Je repris mes esprits et tournai la poignée, stupéfaite qu'il m'eût enfermée.

« "Monsieur Bennet ! Monsieur Bennet ! m'égosillai-je. Mais, qu'est-ce que vous faites ? Pourquoi m'avez-vous enfermée ? Laissez-moi sortir ! Monsieur Bennet, s'il vous plaît !"

« J'entendis ses pas dans l'escalier, puis tout redevint calme. Le scintillement de l'ordinateur jouait avec les ombres sur le mur dans le silence. Je tambourinai sur la porte, criai, tambourinai encore, puis dressai l'oreille. Rien. Je collai l'oreille contre le bois brut du vantail. En vain. Je recommençai à tambouriner, puis j'attendis, aux aguets. Soudain, une musique monta du rez-de-chaussée : un vieil air de jazz.

« Je retournai à la fenêtre, en me disant que je pourrais peut-être l'ouvrir, que mes cris alerteraient peut-être quelqu'un dans la rue. Mais les battants auraient tout aussi bien pu être soudés au châssis. Pendant un moment, je caressai l'idée de casser un carreau.

– C'est ce que j'aurais fait, moi, affirma Star.

– Moi aussi, dit Misty.

Cat avait la tête baissée. Les bras enroulés autour du torse, elle s'étreignait de toutes ses forces. J'eus l'impression qu'elle tremblait. *Voilà ce à quoi tu devais ressembler, quand tu étais emprisonnée dans cette mansarde,* songeai-je en la regardant.

– J'y ai bien pensé, répondis-je. Mais, pour être honnête, j'ai eu peur de ce qu'il pourrait me faire si j'endommageais sa fenêtre.

– Tu t'inquiétais pour sa fenêtre ! s'exclama Star, abasourdie.

– Mais non, pas pour la fenêtre, voyons ! Pour elle, intervint Misty. Elle avait peur de ce qu'il pourrait lui faire subir. Il fallait qu'il soit dérangé pour l'avoir bouclée comme ça. C'est le genre de types qu'il ne vaut mieux pas provoquer. On ne sait jamais comment ils peuvent réagir.

– T'as l'air de t'y connaître, en débiles, dis donc ! lui rétorqua Star du tac au tac. C'est du vécu ?

Misty haussa les épaules sans répondre.

– Elle a raison, dis-je pour couper court à la querelle. En outre, je pensais que Craig allait rentrer d'un instant à l'autre, comme M. Bennet me l'avait annoncé. J'espérais qu'il viendrait me délivrer.

– Ben voyons ! railla Star, en secouant la tête. Un dingue t'enferme à double tour dans un grenier et, toi, tu te dis que la meilleure solution, c'est de voir venir. C'est d'une logique imparable !

– Pour tromper mon attente, poursuivis-je, préférant ignorer le sarcasme, je commençai à explorer la pièce. J'ouvris les tiroirs de la table de nuit : ils étaient vides. Je regardai dans la penderie, mais n'y découvris qu'une demi-douzaine de cintres nus. Dans le coin, en bas, j'aperçus ce qui ressemblait à un nid de rongeur.

– Ô mon Dieu ! glapit Misty. Des rats, tu veux dire ?

– Pouah ! fit Star.

– Je refermai la porte de la penderie pour me diriger vers le bureau. Il y avait un bloc-notes posé à côté de l'ordinateur. Quelques lignes avaient été griffonnées sur la première page. Cela ressemblait à une liste d'adresses de courrier électronique. La mienne en faisait partie.

« Je retournai vers la porte et tentai de l'ouvrir, tirant de toutes mes forces sur la poignée. Sans résultat. Puis je recommençai à la marteler des deux poings. De guerre lasse, je finis par m'asseoir sur le lit, essayant de réfléchir à ce que je devais faire. Où était Craig ? Allait-il vraiment rentrer ? Le doute, peu à peu, s'installait. Quelques instants plus tard, j'entendis une cavalcade dans l'escalier quelqu'un montait les marches quatre à quatre. Ce devait être Craig qui, ayant appris ce que son père avait fait, s'empressait, furieux, de venir me délivrer. Ses pas s'arrêtèrent devant la porte. J'attendis, le cœur battant. Mais je n'entendais guère que la musique du rez-de-chaussée. Puis je vis la poignée tourner, mais la porte demeurait close.

« "Craig ? appelai-je. Craig ? C'est toi ?

« – Oui", fit une voix, après un long moment de silence. Elle était haut perchée, beaucoup plus aiguë que je ne l'aurais imaginé. "Je suis désolé. Mon père ne va pas bien. C'est le fils qui tient le rôle du père, dans cette maison.

« – Peux-tu ouvrir la porte ?" lui demandai-je, m'efforçant au calme. Il ne m'avait jamais parlé de son père en ces termes, dans ses lettres, vous comprenez.

« “J’espérais qu’il avait laissé la clef dans la serrure, dit-il. Mais il faut que je retourne en bas la chercher. Je reviens.”

« Je l’entendis descendre l’escalier en courant. *Dans quel guêpier suis-je donc allée me fourrer !* pensai-je, tout en essayant de conserver mon sang-froid. Mon cœur cognait comme un tambour dans ma poitrine. Pendant une ou deux minutes, je ne perçus guère que la musique, puis j’entendis des éclats de voix : une dispute, manifestement. Je crus même entendre quelque chose se briser contre un mur, puis de nouveau des éclats de voix, et puis plus rien. Même la musique s’était tue. J’attendais, l’oreille collée au vantail, espérant entendre bientôt les pas de Craig dans l’escalier.

« Il y eut bien un bruit de pas, mais c’étaient des pas lents, pesants. À un moment, ils cessèrent. J’en profitai pour appeler Craig. Il n’y eut pas de réponse, mais les pas reprirent aussitôt leur ascension et atteignirent enfin le palier du second. Je m’écartai de la porte et attendis.

« La clef tourna dans la serrure. Mon cœur n’avait plus rien d’une grosse caisse : il vibrait plutôt comme un trépan qui s'enfonçait de plus en plus profondément jusqu'à résonner tout le long de ma colonne vertébrale. Je transpirais tellement que mes cheveux me collaient à la peau dans la nuque.

« La porte s'ouvrit lentement et M. Bennet apparut. Cette vision m'accabla. Tout espoir m'abandonna d'un coup. Qu'avait-il fait à Craig ? Qu'allait-il faire de moi ?

« "Je suis désolé, dit-il d'une voix de fausset. Mon père n'est plus le même depuis qu'elle est partie. On ne peut pas dire de quoi il est capable. Je ne t'en ai rien dit, dans mes e-mails, parce que jamais je n'aurais cru que tu viendrais un jour à l'improviste, comme ça. Mais je suis très content que tu sois là", s'empressa-t-il d'ajouter.

« Je le regardais fixement, paralysée de stupeur. Je devais avoir les yeux qui me sortaient de la tête.

– Carrément bizarre, souffla Misty, les mains crispées à la base du cou.

Cat se mordait la lèvre inférieure et Star, elle-même, semblait complètement terrifiée. Le Dr Marlowe les regardait, ses yeux passant de l'une à l'autre, avant de se poser de nouveau sur moi.

– "Mais vous n'êtes pas Craig." Ce fut tout ce que je parvins à articuler, malgré mon effroi.

« Il s'esclaffa.

« "Oh ! c'est une vieille photo que je t'ai envoyée, mais c'est bien moi : ton vieux pote d'ordinateur, en chair et en os, Solitary Boy."

« Je secouai la tête, essayai vainement d'avaler ma salive et pris une profonde inspiration pour réussir à parler.

« "J'ai fait une erreur, lui dis-je, en essayant de lui sourire pour ne rien lui laisser soupçonner de ma terreur. Il faut que je m'en aille.

« – Oh ! mais tu viens à peine d'arriver ! Ne t'en va pas si vite. On a plein de choses à se dire, nous deux. Tu veux manger, boire quelque chose ?

« – Non merci", répondis-je poliment, en avançant petit à petit vers la porte. Mais il se tenait juste devant, bloquant l'unique issue.

« "Assieds-toi sur mon lit. Il est très confortable, me dit-il, en le désignant d'un geste du menton. Vas-y, assieds-toi.

« – Je préférerais redescendre. J'étais très bien dans le salon, lui répondis-je.

« – Naaan. Il ne nous laissera pas tranquilles. Il cherchera toujours à mettre son grain de sel, tu ne le connais pas comme moi. Et puis Sonny voudra qu'on s'occupe de lui. On sera bien mieux ici. Allez ! Assieds-toi donc", m'ordonna-t-il d'une voix plus ferme.

« Je secouai la tête.

« "Il faut vraiment que j'y aille, lui dis-je.

« – Oh, mais non ! Tu ne peux pas partir maintenant, m'implora-t-il. Tu es la première fille que je fais monter dans ma chambre, la première. J'en ai souvent rêvé, tu sais. Mais tu es vraiment la première. Allez ! Assieds-toi", répéta-t-il, en se dirigeant vers moi.

« Je reculai d'un bond, plaquant mon sac à dos contre ma poitrine comme un bouclier.

« Il sourit.

« "Oh mais ! tu as amené tes affaires ? C'est bien. Ça veut dire que tu avais l'intention de rester un petit moment avec moi. Je suis drôlement content, s'enthousiasma-t-il, ravi.

« – Non ! m'écriai-je, prise de panique. Mes amis m'attendent. Ils vont se faire du souci. Ils vont me chercher partout."

« Son sourire abandonna lentement son visage, comme un navire qui sombre.

« "Je croyais que tu étais venue à San Francisco exprès pour moi, maugréa-t-il.

« – C'est vrai. Mais, maintenant, il faut que je parte. Je suis déjà très en retard, insistai-je en essayant de le contourner subrepticement pour me faufiler derrière lui.

« – Tu veux me quitter, toi aussi", s'écria-t-il, tout à coup, comme s'il venait de prendre brusquement conscience de ce qui se passait. Une colère noire dilata ses prunelles. "Tu es exactement comme elle : tu veux partir. Tu me dis que tu m'apprécies, que je compte pour toi, mais tu veux partir. C'est cruel. C'est égoïste. Tu t'en fiches bien de moi, hein ? Et tout ce que tu m'as écrit, c'étaient des mensonges ? Pourquoi tu m'as fait croire que tu m'aimais ? Tu ne peux donc pas être sincère ?

« – Mais je suis sincère, m'empressai-je de répondre, en sentant la rage le gagner. C'est bien pour cette raison que je suis venue jusqu'ici. Tu as été la première personne à laquelle j'ai pensé quand j'ai décidé de venir à San Francisco."

« Son sourire réapparut aussitôt.

« "Ah ! dit-il. Ça, ça me fait plaisir.

« – Mais je dois quand même aller voir des gens, des gens de ma famille qui m'attendent et qui doivent s'inquiéter pour moi, répétai-je.

« – Tu ne m'as jamais dit que tu avais de la famille ici, objecta-t-il d'un ton soupçonneux.

« – Oui, c'est vrai. Je les avais oubliés. Mais ils m'ont appelée pour m'inviter à venir les voir et j'ai tout de suite accepté en pensant que je pourrais te rendre visite par la même occasion. Je leur ai dit qu'il fallait d'abord que je passe chez toi."

« Je devais penser à toute allure, cherchant désespérément ce que je pourrais inventer pour le satisfaire et pour qu'il accepte de me laisser partir.

« Mais il ne bougeait pas d'un pouce.

« "Je reviendrai demain, lui affirmai-je. Nous pourrons passer toute la journée ensemble, si tu veux.

« – Non, ce n'est pas vrai. Tu ne viendras pas, me répondit-il, en secouant la tête. C'est ce qu'elle disait avant de nous quitter. Elle disait : 'Je pars juste faire un petit tour. Ne sois pas si triste. Je reviens tout de suite.' Je l'ai crue et je l'ai attendue. Tous les soirs, je m'asseyais devant la fenêtre et je regardais dans la rue pour la voir arriver. Mais elle n'est jamais revenue. Elle a juste dit ça pour m'endormir. Elle m'a menti.

« – Oui, mais moi je reviendrai, lui assurai-je. Je ne suis pas elle. Je suis Jade. Jade, tu te souviens ?"

« Mais il ne m'écoutait plus. Il avait les yeux vitreux et son regard, bien que rivé sur moi, semblait aller bien au-delà pour plonger dans l'abîme de ses souvenirs. Il paraissait figé, paralysé, dans un état presque catatonique. J'en profitai pour me diriger vers la porte, centimètre par centimètre, puis, brusquement, je m'y ruai d'un bond. Mais il se détendit comme un ressort et me saisit par les cheveux. Il me tira en arrière avec une telle violence que je tombai à terre.

« Je me mis à crier, hurlant de toutes mes forces. Mais il restait là, immobile, à m'observer comme quelque spécimen rare, ou quelque créature inconnue. Il ne semblait pas incommodé par mes cris, ni effrayé ni même agacé. Il me regardait simplement, sans bouger, me regardait m'égosiller jusqu'à ce que, la gorge en feu et les nerfs à vif, je finisse par me couvrir le visage des mains pour éclater en sanglots.

« Il se pencha alors vers moi et me prit mon sac à dos des mains pour le jeter sur le palier. Puis il eut un geste qui me surprit, tant il me parut étrange : il m'ôta mes chaussures et les balança dehors par la porte ouverte.

– Pourquoi ? me demanda Misty, avec une grimace d'appréhension.

– Parce qu'il ne voulait pas qu'elle parte, lui répondit Cat, d'une voix d'outre-tombe.

On eût dit un fantôme revenant à la vie.

Tout le monde se tourna vers elle. Elle baissa la tête, puis leva de nouveau les yeux vers moi.

– Qu'est-ce qu'il a fait après ? s'enquit Star.

– Je ne sais pas si j'ai vraiment envie de le savoir, gémit Misty.

– Je me suis redressée, sans qu'il fasse un geste pour m'aider, se contentant de me regarder de toute sa hauteur, comme si je n'étais qu'un misérable insecte.

« "Allez ! Lève-toi et va t'asseoir sur le lit, me répéta-t-il calmement. Il est très confortable, tu sais."

« En le voyant faire un pas vers moi, je lui obéis aussitôt.

« "Alors ? Est-ce que ce n'est pas mieux que sur le plancher, hein ? me dit-il.

« – Si vous ne me laissez pas partir, vous allez avoir de sérieux ennuis, le menaçai-je.

« – Si tu pars, tu ne reviendras pas, me répondit-il. Tu nous laisseras tomber, Sonny et moi. Ce n'est pas notre faute ce qu'il a fait. Pourquoi veux-tu nous abandonner ? On n'y est pour rien, nous.

« – Vous vous trompez, lui dis-je. Je vous en prie, laissez-moi partir."

« J'avais l'estomac tellement noué ! Je tremblais de la tête aux pieds. J'aurais bien voulu me défendre, mais j'avais peur de ne pas en avoir la force. Et puis, je me disais qu'il pouvait me blesser grièvement et que ce serait encore pis. "

« Il tendit le bras en arrière pour fermer la porte, puis me sourit.

« "Je suis content que tu sois revenue,

me dit-il. On a tant de choses à se dire, tant de temps à rattraper."

« Il s'approcha de moi. Je secouai la tête comme si j'espérais, par ce geste dérisoire, parvenir à faire disparaître ce cauchemar. Il posa la main sur ma tête, me caressa les cheveux, puis il me prit le visage entre ses mains et se pencha pour m'embrasser sur le front.

– Tu aurais dû lui donner un bon coup de pied où je pense, me dit Star.

– L'idée m'a traversé l'esprit. Mon cœur battait la chamade et je pouvais à peine respirer tant j'avais le souffle court. Quand il a posé les mains sur mes épaules, j'ai bien essayé de le repousser, mais il a accentué sa pression, de plus en plus. J'ai été surprise de la force avec laquelle il m'agrippait. J'avais l'impression que ses doigts traversaient mes vêtements pour me transpercer la peau, comme des griffes.

« Peut-être m'a-t-il coupé la circulation du sang au niveau du cou, je ne sais pas, mais, à un moment, j'essayais de me débattre et, la seconde d'après,...

– Quoi ? souffla Misty, haletante.

Elle avait pris la main de Cat, ou peut-être était-ce Cat qui se raccrochait à elle ?

– Je me suis évanouie.

« Et quand j'ai repris connaissance, j'étais allongée sur le dos, sur le lit, complètement nue.

6

À les voir, elles semblaient toutes malades : Misty était blême ; Star demeurait bouche bée, comme pétrifiée, et Cat dut sortir précipitamment.

– Je vais m'assurer qu'elle va bien, nous lança le Dr Marlowe, en lui emboîtant le pas. Quant à vous, respirez à fond, mesdemoiselles. Au besoin, allez prendre l'air, nous conseilla-t-elle.

Nous la suivîmes des yeux sans bouger.

– Tu veux aller faire un tour dehors ? me proposa Star. Je hochai la tête.

Nous nous levâmes toutes les trois sans mot dire. Star fit glisser la porte vitrée et nous plongeâmes, l'une après l'autre, dans la lumière dorée de ce bel après-midi estival. La caresse, presque maternelle, du soleil sur mon visage me fit du bien.

– Tu n'as vraiment pas la tête d'une fille à qui il peut arriver un truc pareil, me dit

Star, d'un ton susceptible de laisser entendre que, si je n'avais pas encore gagné son respect, j'étais en bonne voie. Mamie a bien raison de dire qu'il ne faut pas juger un livre à sa couverture. Et elle ajoute toujours : « N'oublie pas : *Que celui qui est sans péché lui jette la première pierre*. » Elle passe son temps à me seriner des trucs comme ça, histoire de rattraper toutes les messes et tous les cours de caté que j'ai ratés, j'imagine.

Un silence pesant tomba alors sur notre petit groupe. Misty semblait encore ébranlée par mon histoire et, quant à moi, j'étais toujours, en pensée, enfermée dans cette lugubre mansarde de San Francisco.

– Et Cat ? lança soudain Star. Vous croyez qu'elle va parler demain ?

Ce brusque changement de sujet détendit un peu l'atmosphère.

– Avec ce qu'elle vient d'entendre, ces trois derniers jours, je parie qu'elle va sauter dans le premier avion en partance pour Tombouctou, répondit Misty.

Nous nous esclaffâmes en chœur. Cependant, je voyais bien que Star ne me quittait pas des yeux.

– Qu'est-ce qu'il y a ? lui demandai-je.

– Rien, rien.

– Ne t'inquiète pas, la rassurai-je avec un sourire. Je vais m'en remettre. Nous allons toutes nous en remettre.

– Et encore une paire de lunettes roses, une ! railla-t-elle.

Misty et moi éclatâmes de rire au moment même où le Dr Marlowe rentrait dans son bureau. Je jetai un coup d'œil à travers la vitre. Cat regagnait sa place à pas lents. Comme elle s'asseyait, le Dr Marlowe se pencha vers elle pour lui dire quelque chose en lui tapotant la main.

– Si cela se trouve, je lui fais plus de mal que de bien, pensai-je à haute voix.

– Crois-tu vraiment que la psy te laisserait faire, si c'était le cas ? me répondit Misty. Elle savait déjà, plus ou moins, tout ce que tu nous as raconté, non ?

– La majeure partie, concédai-je, mais pas tout. J'ai l'impression qu'aujourd'hui il me revient plus de choses que d'habitude — quand je suis seule avec elle, je veux dire. Mais vous n'êtes pas encore au bout de vos peines.

– Ça doit être pour ça qu'elle voulait nous réunir toutes les quatre, diagnostiqua Star. Ça m'a fait pareil.

– À moi aussi, reconnut Misty.

J'acquiesçai d'un signe de tête.

Le Dr Marlowe s'assit et tourna les yeux dans notre direction.

– Il est temps d'y retourner, dis-je, en prenant une profonde inspiration, comme si je m'apprêtais à plonger dans un bassin d'eau glacée. Autant y aller maintenant, qu'on en finisse.

Chacune reprit rapidement sa place.

– Comment te sens-tu, Jade ? me demanda le Dr Marlowe.

– Bien.

– Nous pouvons nous arrêter là et reprendre demain, si tu veux.

– Non. Je ne tiens pas à repousser l'échéance. Ce ne serait que reculer pour mieux sauter, de toute façon.

Elle hocha la tête avec un air approbateur.

Je me tournai alors vers mon auditoire.

– Il ne m'a pas violée, déclarai-je aussitôt. Quand j'étais inconsciente, j'ai rêvé que quelqu'un m'embrassait sur la joue, dans les cheveux, effleurait mes yeux et mes lèvres, mais rien de plus. Star avait raison. Tout ce qu'il faisait ne tendait que vers un seul et même but : m'empêcher de partir. Dans sa folie, il s'imaginait que, privée de mes affaires et de mes vêtements, je n'essaierais jamais de m'échapper.

Cat sembla se détendre, comme si je lui ôtais un poids immense, comme si ce qui m'était arrivé, à moi, aurait pu lui arriver à elle aussi.

– Quand tu t'es rendu compte de ce qu'il avait fait, tu ne t'es pas dépêchée de casser un carreau ? me demanda Misty.

– Je ne pouvais plus, lui répondis-je.

– Comment ça ? Pourquoi ?

Star hocha la tête, avec un petit sourire entendu, comme si elle connaissait déjà la réponse.

– Parce qu'il m'avait attaché la cheville gauche à un des pieds du lit et le poignet droit à un autre. Il s'était servi des câbles de l'ordinateur — j'imagine qu'il voulait, par là même, m'empêcher de lancer un message de détresse sur l'Internet. Si seulement j'avais pu y penser avant ! En tout cas, j'eus beau m'échiner, je ne parvins pas à atteindre les nœuds et, plus je me tortillais pour y parvenir, plus les liens me blessaient. À tel point que ma cheville se mit à saigner.

– Oh non ! compatit Misty. Qu'est-ce qui s'est passé après ?

– Je suis restée allongée, m'efforçant de garder à tout prix la tête froide, malgré la terreur qui me nouait la gorge. J'avais certes peur de ce qu'il allait me faire, mais le pis aurait été, pour moi, de perdre à nouveau connaissance.

« Quand je l'ai entendu revenir, il m'a semblé que des heures s'étaient écoulées. Il est entré, le sourire aux lèvres. Il avait un livre à la main.

« "Oh ! Tu ne dors toujours pas ! s'exclama-t-il. Je parie que tu as encore fait un de ces vilains cauchemars. Mais ne t'inquiète pas. Je suis là, maintenant, et je vais t'aider à t'endormir.

« – Je vous en prie, le suppliai-je. Délivrez-moi. Ces liens me font affreusement mal.

« – Mais non, mais non, me répondit-il. Rien ne pourra plus te faire de mal, maintenant. Avec moi, tu es en sécurité. Tu ne risques plus rien. Tant que je serai là, tu ne risqueras plus rien. Jamais."

« À ces mots, mon angoisse redoubla et je réalisai subitement, avec horreur, que mes parents ne pourraient jamais savoir où j'étais partie. Avec l'aide de la police, ils pourraient peut-être découvrir que j'avais acheté un billet pour San Francisco, mais je ne leur avais jamais parlé de Craig et de notre relation par e-mails. Cela leur prendrait des mois, peut-être même des années, avant qu'un bon détective ne vienne fouiller dans mon ordinateur pour y trouver des indices.

« Je cédai au désespoir et me mis à pleurer. C'était plus fort que moi. Je ne pouvais pas m'en empêcher. Il sourit, comme s'il estimait que c'était là une saine réaction de ma part, et tira la chaise du bureau près du lit. Il s'assit et essuya mes larmes, puis il se lécha les doigts, comme pour les goûter.

– Les quoi ? s'écria Star. Les *goûter* ? C'est bien ce que tu viens de dire ?

– Oui. Il hocha la tête d'un air approbateur et m'adressa de nouveau un sourire bienveillant. « J'aime le goût salé de tes larmes, me dit-il. Je sais que, quelquefois, tu pleures rien que pour me faire plaisir. »

« Il avait l'air comblé. Je pris sur moi pour ravaler mes pleurs. Il ouvrit le livre et commença à me lire une histoire digne d'un gamin de maternelle. Il ne s'y serait pas pris autrement si je n'avais eu que trois ou quatre ans, exagérant tout : baissant ou haussant la voix, exécutant force mimiques, feignant la joie ou la tristesse, selon le contexte. Pendant ce temps, je me tenais coite, osant à peine respirer de crainte, au mieux, de le mécontenter, au pis, de briser cette sorte de rêve éveillé dans lequel il semblait plongé, au risque de provoquer un choc dont je ne préférais pas imaginer les conséquences chez quelqu'un d'aussi perturbé. Quand il eut achevé sa lecture, il ferma le livre et se pencha pour m'embrasser sur la joue.

« "Il faut dormir, maintenant, me dit-il.

« – Je vous en prie, l'implorai-je, n'y tenant plus. Laissez-moi partir.

« – Je vais rester avec toi jusqu'à ce que tu t'endormes, me promit-il, puis il se pencha pour coller son oreille contre mon ventre.

« – Ah ! J'entends ton estomac gargouiller, dit-il en riant. Endors-toi, estomac. Endors-toi, foie. Endormez-vous, reins, rate et vésicule biliaire. Toi aussi, le cœur, ordonna-t-il, en posant la main sur mon sein gauche. Ne fais pas ta mauvaise tête ! Allez ! Allez !" J'eus un mouvement de recul, mais ne pus guère que sursauter, incapable de bouger à cause des liens qui m'entravaient. Fort heureusement, il ne profita pas de la situation. Je sentais son souffle chaud sur ma peau, mais demeurais aussi immobile qu'une statue. Bientôt sa respiration se fit plus régulière. Il devint même si lourd que j'eus l'absolue conviction qu'il dormait.

– Sur ton ventre ! s'écria Misty.

– Oui, et j'étais terrifiée à l'idée de le réveiller. J'en venais à craindre le moindre frisson, l'apparition d'une crampe, un réflexe inopiné. Que pouvais-je faire ? Rien, hormis fermer les yeux et suivre les conseils qu'il m'avait donnés, repousser les pensées importunes. J'essayais de focaliser toute mon attention sur la maison, sur ma chambre, sur mon lit : je feignais d'être chez moi, endormie, comme si je n'étais jamais partie. Épuisée par toutes ces émotions et tous ces vains efforts pour tenter de me libérer, je finis par m'endormir vraiment.

« Je me réveillai au milieu de la nuit. J'étais seule. J'étais toujours attachée, bien entendu, mais, à force de lentes et douloureuses contorsions, je parvins à toucher le câble électrique avec ma main libre. Je le fis glisser entre mes doigts pour remonter aussi près que possible de mon poignet droit et commençai à essayer de desserrer le nœud. Il me fallut des heures d'efforts pour gagner quelques millimètres. Cela ne suffisait pas.

« Et puis c'était épuisant, tant et si bien que je finis par me rendormir. Le bruit de la clef tournant dans la serrure me réveilla. Il devait être très tôt : le soleil venait à peine de se lever. Il entra dans la chambre, tenant en équilibre un plateau sur lequel étaient soigneusement disposés un verre de jus d'orange, deux toasts, un bol de céréales décoré de rondelles de banane et une sorte de pissenlit.

« "Je l'ai cueillie exprès pour toi ce matin, me dit-il, en me tendant la mauvaise herbe. Est-ce qu'elle n'est pas jolie ?"

« J'étais toujours terrorisée, mais j'avais été réveillée en sursaut et ce fut la colère qui l'emporta.

« "Il faut faire un bon petit déjeuner, poursuivait-il. C'est le repas le plus important de la journée.

« – Comment voulez-vous que je mange ? grommelai-je. Je ne peux même pas m'asseoir."

« Il examina ma cheville, réfléchit un instant, puis posa le plateau sur la chaise et défit le nœud.

« "Tu auras assez d'une main pour manger", affirma-t-il. Dans sa démence, il conservait une certaine logique il était peut-être fou, mais pas stupide.

« *Pour l'heure,* me disais-je, *il vaut mieux entrer dans son jeu.* Je hochai la tête et me redressai. Il posa le plateau sur mes cuisses.

« "C'est de l'orange fraîchement pressée, s'enorgueillit-il. Tu vois, rien n'est trop bon pour toi. Allez, bois."

– Et si ça avait été du poison ? lâcha Misty.

– J'y ai bien pensé, mais je ne savais comment m'en assurer. Que faire, sinon y goûter ? J'ai trempé mes lèvres dans le liquide : il m'avait l'air bon. J'en bus une gorgée, puis je lui souris et lui annonçai que j'avais besoin de me laver les mains.

« "Pas de problème", me répondit-il, et il se leva pour aller dans le cabinet de toilettes. Il en revint avec un bassin.

– Un truc comme à l'hôpital, tu veux dire ? s'enquit Misty.

– Exactement. En voyant cela, j'ai secoué la tête et je l'ai prié de me laisser y aller toute seule.

« "Oh non ! s'est-il écrié. Tu ne peux pas te lever : tu es encore bien trop faible." Et il a glissé le bassin sous mes reins. Puis il est resté là, à m'observer, comme une petite fille qui surveille son baigneur.

– Si ça continue, je vais finir par rendre mon déjeuner, souffla Misty.

– Et elle, comment tu crois qu'elle se sentait ? l'apostropha Star.

Quant à Cat, elle regardait droit devant elle, muette comme une carpe, fidèle à elle-même.

– C'était horrible. Mais je n'ai pas pu me retenir. Après, il est reparti avec le bassin pour le vider dans les toilettes. Je ne peux pas vous dire à quel point je me sentais mal, sale, impuissante, avilie.

« "Finis ton petit déjeuner, maintenant, m'ordonna-t-il, depuis le seuil. Je reviendrai tout à l'heure. J'ai des choses à faire. Je veux nous concocter un dîner de gala pour ce soir. Je te promets, ajouta-t-il, avec un sourire complice, que je ne ferai rien brûler, cette fois.”

« Il referma la porte à clef et descendit l'escalier. J'attendis quelques instants avant de me débarrasser du plateau en le posant sur la chaise. Ma cheville ayant recouvré sa liberté de mouvement, j'avais gagné en mobilité. Je pus donc poursuivre mes efforts pour me délivrer avec plus de facilité. Je ne tardai pas à découvrir où le câble avait été attaché au lit et réussis à le détacher. L'opération me parut interminable, d'autant plus que je ne cessais de l'interrompre pour tendre l'oreille de crainte qu'il ne me surprenne. C'est d'ailleurs ce qui m'a permis de l'entendre revenir. Je venais juste de me libérer. Je refis aussitôt un nœud autour de mon poignet, assez lâche pour le défaire d'un seul geste, au besoin, et repris la pose. Je venais juste de jeter précipitamment les céréales à la tête du lit et de cacher les toasts sous le matelas quand la clef tourna dans la serrure.

« Le ciel avait dû se couvrir parce que la luminosité avait brusquement baissé : il faisait tout à coup très sombre dans la chambre. Comme je jetai un coup d'œil par la fenêtre, il me sembla qu'une tempête se préparait ; ce qui ne fit rien pour apaiser mon angoisse, bien au contraire. J'avais déjà froid, mais, à la perspective d'un orage, une vague d'irrépressibles frissons me submergea.

« "Voyons, voyons, marmotta mon geôlier en entrant. Ah ! Tu as tout mangé. C'est bien." Il prit le plateau pour le poser par terre et se mit aussitôt en devoir de m'entraver à nouveau la cheville.

« "Regarde ce que je t'ai apporté, poursuivit-il, en me tendant un autre livre pour enfants. Je reviendrai tout à l'heure pour te le lire, mais tu peux déjà regarder les images, en attendant."

« Il me couvait des yeux. "Je suis si content que tu sois revenue. Si content", répétait-il, en me caressant le front. Puis il sortit et referma la porte à clef.

« J'attendis que le bruit de ses pas se soit éloigné pour défaire le nœud de mon poignet. Cela me prit beaucoup plus longtemps pour dénouer le câble qui m'entravait la cheville, mais je pus finalement bouger de nouveau librement dans la pièce.

– Mais tu étais encore enfermée, me fit remarquer Misty.

– Certes.

« Pourtant, je renonçai une fois de plus à briser la vitre pour appeler au secours. Que se passerait-il, si personne ne m'entendait ? Cela ne servirait qu'à le faire revenir plus vite et, probablement, en proie à une rage folle. Pendant quelques minutes, je parcourus la pièce en tous sens, en quête d'une idée lumineuse, d'un quelconque moyen d'évasion. Allez savoir pourquoi, je me mis à genoux pour regarder sous le lit. Vous ne pouvez pas imaginer la couche de poussière ! J'aperçus alors un ressort qui dépassait du sommier. Je tirai dessus et parvins à l'extirper.

« J'entrepris de le redresser pour obtenir une longue tige de fer plus ou moins droite que je glissai dans le trou de la serrure. Il me fallut des heures et, plusieurs fois, je fus tentée d'abandonner, mais, finalement, j'entendis tout de même le penne claquer. Je tournai la poignée et la porte s'ouvrit. Miracle ! J'en aurais presque sauté de joie. Je retournai ôter un drap du lit pour m'en couvrir et revins vers la porte sans bruit.

« Je me tenais là, tremblante, la peur au ventre. Je l'imaginais montant la garde sur le palier, prêt à fondre sur moi dès que je mettrais un pied dehors. Je jetai un coup d'œil prudent à l'extérieur : rien à l'horizon. En revanche, je repérai immédiatement mon sac à dos et mes chaussures rangés au pied du mur.

« Je me hâtai de sortir et d'enfiler un slip, un jean et un sweat-shirt, puis je mis mes chaussettes et mes chaussures. De toute ma vie, jamais je ne me suis habillée aussi vite !

« Mais, une fois vêtue et prête à partir, je fus saisie d'un accès de panique. Il me suffisait de regarder la volée de marches qui s'enfonçait vers le rez-de-chaussée, dans la pénombre, pour sentir une main de glace se refermer sur ma nuque et un frisson dégringoler ma colonne vertébrale pour gagner mon corps tout entier.

« Je commençai malgré tout à descendre. La première marche grinça si fort à mon oreille qu'il me parut impossible de ne pas avoir été entendue. Je sentais poindre l'hystérie. Il n'y avait aucune autre issue depuis l'étage où je me trouvais : j'étais prise au piège.

– Il n'y avait pas d'échelle d'incendie ? s'étonna Star.

– S'il y en avait une, je n'ai pas pensé à regarder. J'ai continué à descendre. En dépit de tous mes efforts pour l'éviter, chaque degré grinçait plus fort que le précédent. J'avais beau me déplacer le plus lentement possible, multiplier les précautions, cet escalier coassait comme un crapaud-buffle. À croire que, par loyauté envers son propriétaire, la maison cherchait à l'avertir de ma fuite. Même la rampe faisait du bruit. J'ai bien songé à descendre l'escalier quatre à quatre pour me ruer sur la porte d'entrée, mais, après quelques hésitations, j'y ai renoncé, préférant me faufiler pas à pas, quitte à prolonger mon supplice et, peut-être, à multiplier les risques d'autant... De toute façon, il fallait bien trancher.

« Quand je parvins au premier, je m'immobilisai, aux aguets. Après tout, il pouvait se trouver dans n'importe quelle pièce. Mais je ne perçus aucun signe de sa présence, pas même la musique que j'avais entendue la veille au soir. C'est alors que, brusquement, la maison tout entière se mit à craquer et à gémir. Le vent s'était levé et tourbillonnait au-dehors avec violence.

« Juste au-dessus de moi, la lampe se mit à clignoter. La pluie avait commencé à tomber, cinglant toit et fenêtres. Les ombres tremblotaient sur les murs faiblement éclairés, comme des spectres frigorifiés. Tel un animal en cage, mon imagination tournait en rond, présentant à mon esprit en émoi les idées les plus ahurissantes, les pensées les plus effroyables, les images les plus terrifiantes. Sans compter que j'avais, en permanence, cette désagréable sensation que quelqu'un m'épiait. Je scrutais chaque ombre, chaque recoin, chaque angle de porte, cherchant le reflet luisant d'yeux aux aguets. Étais-je seule dans cette maison ? Y avait-il quelqu'un d'autre ? Quelqu'un que je n'avais pas encore vu ?

« Les battements de mon cœur avaient viré aux coups de boutoir ; j'avais du mal à avaler ma salive et un énorme poids m'écrasait la poitrine, m'empêchant de respirer. Je ne sais pas où j'ai trouvé la force, mais j'ai pourtant continué d'avancer.

« Quand j'ai atteint le rez-de-chaussée, je me suis de nouveau immobilisée. J'ai repris mon souffle et dressé l'oreille. Il régnait un tel silence que j'ai présumé, un instant, qu'il était ressorti. Marchant sur la pointe des pieds, je me dirigeais déjà vers la porte d'entrée quand j'entendis ce qui aurait pu passer pour des gémissements d'enfant éploré.

« Je poursuivis mon chemin quelques secondes, puis m'arrêtai. Les sanglots provenaient du salon, lequel se trouvait juste devant moi, précisément entre moi et la porte d'entrée. Je retins à grand-peine un cri de rage et de dépit : j'eus l'impression de refouler, dans mes poumons, tout l'air que je venais d'inspirer. En fait, j'avais tout à fait conscience de livrer un combat incessant contre la panique qui menaçait de me submerger à tout moment depuis le début, depuis que j'avais quitté la chambre et même avant. *Ne pas succomber, ne pas succomber,* me répétai-je sans cesse. Je devais à toute force refouler les pleurs que je sentais monter, si je voulais avoir encore le courage de continuer.

« Comme j'atteignais le seuil du salon, je risquai un coup d'œil à l'intérieur. Il était assis dans son fauteuil, serrant mes vêtements dans ses bras, tel un bébé que l'on blottit contre son cœur, et il dormait, la tête rejetée en arrière, sanglotant dans son sommeil comme un enfant en proie à d'horribles cauchemars.

« Je poursuivis mon chemin jusqu'à l'entrée et tentai d'ouvrir la porte aussi discrètement que possible : elle était fermée à clef. C'était d'ailleurs le même antique système de serrure à crochet que dans la chambre du second. Le désespoir m'envahit.

« Je fis pourtant demi-tour pour inspecter le reste du rez-de-chaussée. Il pouvait avoir laissé une porte de jardin ou de service ouverte. Toutes les lampes étaient éteintes et il faisait si sombre avec l'orage que j'avais peur de buter contre un meuble ou de me cogner ; ce qui n'aurait pas manqué de le réveiller. Je rampai presque, me dirigeant à tâtons vers la cuisine dans laquelle il m'avait semblé apercevoir une porte de service. Je ne m'étais pas trompée, mais, malheureusement, elle était également verrouillée.

– Tu aurais dû emporter ton ressort avec toi pour crocheter la serrure, dit Misty.

– Oui, j'y ai bien pensé aussi, mais il était hors de question que je remonte au second le chercher.

– Ah ça ! Moi non plus je ne serais pas remontée, approuva Star.

– J'examinai minutieusement le plan de travail et la table de la cuisine, espérant y trouver la clef. En pure perte. Finalement, j'entrepris d'ouvrir la fenêtre qui donnait sur l'arrière de la maison. Je procédais millimètre par millimètre pour faire le moins de bruit possible. Je l'avais levée d'une vingtaine de centimètres quand elle se bloqua. Je m'arc-boutai et poussai de toutes mes forces : impossible de la faire bouger d'un pouce. C'était tellement frustrant que j'eus presque envie de m'asseoir par terre pour pleurer. Et je ne vous parle même pas du lancinant mal de tête qui me vrillait le crâne. Mais dans quel guêpier étais-je donc allée me fourrer ?

– Comment t'aurais pu savoir que le type qui t'écrivait tous ces trucs était complètement cinglé ? s'insurgea Star, accourant à la rescousse.

Cet empressement me fit sourire. Je ne me voilais pourtant pas la face : je savais que c'était ma faute. J'aurais dû me montrer plus prudente au lieu de plonger dans l'inconnu pour débarquer, sans prévenir, dans la vie d'un parfait étranger.

– J'ai bien essayé une autre fenêtre, repris-je, après avoir remercié Star d'un chaleureux sourire, mais ce deuxième essai fut encore plus désastreux que le premier : elle était complètement coincée. C'était à se demander comment il faisait pour aérer ! À ce niveau-là, ce n'était plus une maison : c'était un véritable donjon dans lequel ce pauvre fou s'était muré, avec ses plus sinistres souvenirs pour toute compagnie.

– Alors qu'est-ce que tu as fait ? s'impatienta Misty. Comment as-tu réussi à te sauver, finalement ?

– Je ne pouvais pas passer mon temps à déambuler dans toute la maison à la recherche d'une fenêtre qui voulait bien s'ouvrir. J'étais sûre que j'allais finir par heurter quelque chose ou faire un faux mouvement qui alerterait mon geôlier. Alors j'ai décidé de tenter ma chance et je suis retournée dans le vestibule. Au passage, j'ai pu vérifier qu'il dormait toujours, pelotonné dans son fauteuil, près de la cheminée du salon.

« J'examinai les lieux avec attention et remarquai qu'il y avait, entre l'horloge et le mur, un espace suffisant pour que je puisse m'y glisser. Je décidai de risquer le tout pour le tout : je tambourinai sur le vantail, puis me faufilai dans ma cachette. Le cœur battant, j'attendis, j'attendis... J'avais l'impression que mon cœur cognait tellement fort dans ma poitrine qu'on devait l'entendre d'un bout à l'autre de la maison. Mais mon geôlier ne venait toujours pas. Après une bonne minute de silence, je retournai à pas prudents jusqu'à la porte et jetai un coup d'œil dans le salon. Il avait tourné la tête, mais ne s'était pas réveillé. Je répétai donc l'opération, frappant plus violemment et plus longtemps, si violemment même qu'il me sembla sentir tout l'édifice trembler. L'énergie du désespoir, sans doute. Je me hâtai de rejoindre ma retraite. Cette fois, je l'entendis nettement se lever, puis marcher à pas lourds et mal assurés vers la porte, en grommelant.

« "Qui est là ?" demanda-t-il. Il attendit, alla jusqu'à la porte et tendit l'oreille. "Sales petits vauriens !" marmonna-t-il, pensant sans doute avoir affaire à quelques gamins du voisinage. Peut-être lui avaient-ils déjà joué ce genre de mauvais tours ? Toujours est-il qu'il fit ce que j'avais espéré sans trop oser y croire : il fouilla dans sa poche pour prendre la clef et ouvrit la porte. Dans mon esprit, je devais me ruer dehors, le bousculant au passage, pour appeler au secours. Mais il restait devant la porte, me bloquant complètement le passage. Il leva les yeux vers l'escalier, manifestement plongé dans de profondes réflexions, puis referma la porte et commença de gravir les marches. Mais il n'avait pas reverrouillé la porte : mon plan avait fonctionné !

« J'attendis qu'il ait atteint le premier avant de sortir de ma cachette et fonçai vers la porte. Je l'ouvris à la volée et dévalai l'escalier du perron. Une fois dans la rue, je me mis à courir à toutes jambes sans savoir où j'allais, ignorant les torrents de pluie qui me fouettaient le visage et traversaient mes vêtements. Je n'avais qu'une idée en tête m'éloigner le plus possible de cette maison de malheur. Je courus jusqu'à en perdre haleine, mais dus ralentir, poignardée par un point de côté. Je m'appuyai contre une barrière, me tenant le ventre à deux mains et tentant de reprendre mon souffle. J'étais littéralement trempée. Mes cheveux dégoulinaient et mon visage ruisselait de pluie. Mais je m'en moquais : j'étais tellement contente de m'en être sortie que j'étais insensible au froid.

« Je me remis en route, marchant d'un bon pas en direction du prochain croisement, traversai la rue et entrai dans un restaurant. Je me rendis aux toilettes pour me sécher et tenter de me rendre à peu près présentable, puis j'appelai un taxi qui me ramena à l'aéroport. Là, j'achetai un billet d'avion. Je dus tout de même attendre une heure avant le départ du premier vol pour Los Angeles. Je faillis d'ailleurs m'endormir sur les banquettes et le rater.

« Je ne vis rien du voyage. Je me souviens juste d'avoir pensé, avant de sombrer dans le sommeil : *cela m'apprendra à quitter la maison pour trouver quelqu'un qui soit capable de me comprendre et de partager mes peines !*

« J'ai réalisé qu'en fait je n'avais vraiment nulle part où aller. Voilà tout ce que j'avais retiré de cette escapade.

– Mais non, ce n'est pas tout ! protesta Star.

– Non… je suppose que non.

Je jetai un regard en coin vers le Dr Marlowe.

– Je suppose que cela m'a aussi appris pas mal de choses sur la confiance.

« Toujours est-il qu'il était très tard quand j'arrivai à la maison. Bien entendu, mes parents n'étaient pas encore revenus : il n'y avait personne pour vérifier si j'étais là ou pas. Si Mme Caron venait jeter un œil dans ma chambre ou me demander comment j'allais, quand mes parents étaient tous les deux absents, c'était bien le bout du monde. Je me suis faufilée discrètement dans ma chambre. Personne ne m'attendait. J'ai écouté mon répondeur. Il y avait juste un message de mon amie Sophie. Elle voulait savoir pourquoi je n'étais pas venue à la remise des prix, ni au bal, et me disait qu'elle avait passé la plus merveilleuse soirée de sa vie.

– Les gens font tout le temps ça, même nos soi-disant meilleurs amis, grommela Star. Ils te disent toujours que la soirée était géniale quand tu n'as pas pu y aller.

Sa réflexion me fit rire. À croire qu'elle connaissait Sophie aussi bien que moi !

Il n'y avait aucun autre message. Apparemment, mes parents n'avaient pas appelé. Vous imaginez aisément ma fatigue. J'étais exténuée. J'ai failli m'effondrer avant d'avoir le temps de poser la tête sur l'oreiller. J'ai dormi comme une souche et passé l'heure du petit déjeuner. J'ai vaguement entendu Mme Caron me demander derrière la porte si tout allait bien — il fallait tout de même manquer deux petits déjeuners, dans cette maison, avant que quelqu'un ne prenne la peine de venir aux nouvelles. Mais je ne pouvais pas blâmer Mme Caron. Je n'avais jamais fait grand cas de sa sollicitude et elle avait, à raison, décidé depuis longtemps déjà, qu'elle se contenterait de faire son travail et se garderait bien de se mêler de ce qui ne la regardait pas.

« Je lui criai, sans me lever, que j'allais bien et la remerciai d'être venue s'en assurer. Elle repartit sans poser plus de questions.

« Environ une heure plus tard, je me levais, prenais une douche, m'habillais, avalais un *bagel* et filais en cours. Je passai la journée dans une sorte de brouillard nébuleux. Tout le monde me demandait pourquoi je n'avais pas assisté à la remise des prix. Je prétextai une indisposition passagère.

« Ma mère fut la première à rentrer. L'après-midi tirait à sa fin quand je la vis passer en coup de vent devant ma chambre, jeter un coup d'œil au passage et, me voyant allongée sur mon lit, rebrousser chemin pour venir me parler.

« "Bonsoir, me dit-elle. Je nage en plein délire. Une véritable histoire de fou ! Félix a perdu les bons de commande de tout le budget Longs Pharm. Non mais tu te rends compte ! Son ordinateur est tombé en panne. Tu ne peux pas imaginer la panique. Et tout cela, pendant que j'étais partie, par-dessus le marché !

« "Oh ! comment s'est passée la remise des prix, au fait ?" ajouta-t-elle, sans même reprendre son souffle.

« Je la regardai sans répondre. *Si j'avais eu moins de chance, je pourrais être morte dans une mansarde poussiéreuse, au dernier étage d'une maison inconnue de San Francisco, à l'heure qu'il est,* pensai-je, *et ma mère n'aurait absolument aucune idée de ce qui m'était arrivé. Même dans ses pires cauchemars, elle ne pourrait imaginer ce par quoi j'étais passée.* Des bons de commande de rouges à lèvres et autres produits de maquillage avaient été temporairement égarés et son univers s'effondrait. C'était à regretter de ne pas être un tube de mascara !

Misty s'esclaffa et Cat sourit presque aussi largement que Star.

– "Je n'y suis pas allée, lui avouai-je.

– Oh ! fit-elle. Pourquoi ?

« – Je ne me sentais pas bien", répondis-je. J'aurais voulu lui balancer : "Je me suis enfuie de la maison, il y a deux jours, et j'ai pioché dans ma réserve personnelle, censée me procurer indépendance et confiance en moi, pour tenter de retrouver une âme sœur qui n'existait pas. Au lieu de quoi, maman, une espèce de dément a essayé de me retenir prisonnière. Il m'a même déshabillée après que je m'étais évanouie de terreur, et m'a fait subir des tas de choses horribles."

« Dans ma tête, je l'imaginais déjà me répondant : "Oh ! C'est vraiment navrant. Mais, dis-moi, combien de temps cela prendra-t-il, à ton avis, avant que Félix ne parvienne à réparer son ordinateur ?"

Cette fois, personne ne sembla apprécier ma boutade. Il est vrai que je montrais un certain penchant pour l'humour noir, ces derniers temps.

– « Cela va-t-il mieux, maintenant ? me demanda ma mère. Veux-tu que j'appelle le médecin ? »

« J'ai répondu "non". Je voulais dire : "Non, je ne me sens pas mieux", mais elle a compris que je ne voulais pas voir un médecin.

« "Bon. Mais ménage-toi, ma chérie. Je conçois parfaitement que tu sois nerveuse à l'approche de ton entretien avec le juge, à la fin du mois, mais tu n'as aucune raison de t'inquiéter : cela se passera très bien. Cet idiot de Félix ! ajouta-t-elle. Il est tellement… comment diriez-vous cela, pour faire branché, maintenant ? 'Tarte' ?"

« Elle marqua un temps pour juger de l'effet produit. Je m'affligeai intérieurement de voir ma propre mère s'essayer, si lamentablement de surcroît, à la "branchitude", mais, préférant ne rien dire, je me contentai de continuer à la regarder en silence. Elle eut un petit rire nerveux, puis elle secoua la tête et se précipita dans le couloir pour reprendre sa course folle.

« Mon père rentra juste à temps pour

dîner. Ma mère était toujours dans le bureau, hurlant ses ordres au dénommé Félix. Il posa son attaché-case tout en dressant l'oreille.

« "Le monde de la beauté semble en ébullition", conclut-il en riant.

« Il fut un temps où il aurait été désolé de ce qui arrivait à sa femme, où il aurait compati et même proposé son aide. *Comme l'écart s'est creusé en à peine quelques mois !* me suis-je dit.

« "Et comment va mon élève modèle favorite ? s'écria-t-il. Leur en as-tu mis plein la vue à la remise des prix ? As-tu fait un brillant discours ou quelque chose comme cela ?

« – Je n'y suis pas allée, lui répondis-je. Je ne me sentais pas très bien.

« – Oh ! quel dommage ! s'exclama-t-il. Qu'est-ce qui n'allait pas ?

« – Mal au ventre", répondis-je, laconique. Il hocha la tête.

« "Petits désagréments féminins ?" s'enquit-il.

« Chaque fois que j'avais mal au ventre ou à la tête, c'était toujours son explication préférée, le prétexte rêvé pour ne pas avoir à se faire de souci pour moi.

« “C’est cela”, lui répondis-je, en me disant : *À quoi bon ?*

« Il alla se laver les mains et revint s’asseoir à table, juste au moment où ma mère abrégeait son énième coup de téléphone pour venir dîner. Nous pûmes donc commencer à rejouer la scène du repas de famille avec ces sempiternels gros nuages noirs tourbillonnant au-dessus de nos têtes.

– Je commence à croire que j’ai eu de la chance que mon père déménage, murmura Misty.

– Ça c’est sûr ! s’exclama Star.

– Au point où en sont les choses, aujourd’hui, je serais assez d’accord avec vous, concédai-je. Mes parents se parlaient par monosyllabes. Leur conversation était hachée, sèche et truffée d’insinuations fielleuses. Aucun des deux ne demanda à l’autre comment s’était passée sa journée : ils s’en moquaient éperdument. Et puis, je suppose que poser une question aimable aurait été considéré, par chacun des adversaires, comme une marque de faiblesse chez son rival. Quoi qu’il en soit, le dîner n’était pas encore achevé qu’ils avaient déjà réussi à rouvrir les hostilités.

« “Elle n’est pas allée à la remise des prix, déclara ma mère, entre la poire et le fromage.

« – C’est ce que j’ai cru comprendre, répondit mon père.

« – Elle était assurément contrariée que nous ne fussions là, ni l’un ni l’autre, pour y assister et c’est, sans nul doute, ce qui a provoqué son indisposition, poursuivit ma mère.

« – À qui la faute ?” contre-attaqua mon père.

« À les entendre, vous auriez pu croire que je n’étais pas là, assise à la même table qu’eux. Comprenez-vous, maintenant, pourquoi j’avais l’impression de devenir de plus en plus invisible ? Pourquoi je disais, au début, que je n’étais plus que l’ombre de moi-même ?

Les trois filles hochèrent la tête en chœur.

– Ma mère s’essuya la bouche avec sa serviette et se baissa pour attraper son sac qu’elle avait posé au pied de sa chaise. Quand je l’avais vue faire, j’avais trouvé cela curieux, mais je n’avais pas osé poser de questions. En fait, je m’en rendais compte, à présent, elle avait prémédité cette dispute et préparé son offensive, avant même de passer à table. Et mon père en avait fait autant.

« Elle sortit d'un geste vif son agenda de son sac et le feuilleta bruyamment.

« "C'était ton tour d'accompagner Jade à l'une de ses obligations scolaires, dit-elle. Si tu veux t'en assurer sur le programme, il est à ta disposition. C'est écrit là, noir sur blanc. Je suis allée à la réunion parents-professeurs, il y a deux semaines, pendant que tu étais accaparé par un séminaire de créativité à Pasadena. Je l'ai noté. Tu veux vérifier ?"

« Mon père coula vers moi un regard coupable, puis fit volte-face.

« "Tu n'as jamais mentionné le calendrier des obligations scolaires quand nous avons tous les deux planifié nos rendez-vous respectifs", siffla-t-il entre ses dents. C'est probablement de lui que je tiens ce tic nerveux. Cela fait partie de mon précieux héritage : le réflexe de serrer les dents quand je suis en colère.

« "Je ne pensais pas avoir besoin de te rappeler une obligation envers ta propre fille, lui rétorqua-t-elle sèchement.

« – Il me semble que tu as raté quelque

chose, le mois dernier", riposta-t-il. Mais son ton manquait de conviction : il ne s'était pas aussi bien préparé qu'elle. Ma mère a toujours été beaucoup mieux organisée que mon père. Il est plus intuitif, plus créatif et vit dans un monde plus abstrait, perdu dans la nébuleuse de ses visions futuristes et de ses projets d'avenir. Elle est plus précise, plus cartésienne, perfectionniste jusque dans les moindres détails une vraie gestionnaire. Il a été dépassé et s'est fait battre à plates coutures.

« "Tu ne m'en as jamais parlé et je ne m'en souviens pas. En revanche, voilà bien un exemple probant de ton irresponsabilité envers ta fille", insista-t-elle, refermant son agenda avec un claquement sec, avant de le remettre dans son sac comme on remet une dague au fourreau.

« "Comment se fait-il que tu ne sois pas déjà au téléphone avec ton avocat ? persifla mon père.

« – Ne t'inquiète pas : il en sera dûment avisé en temps voulu, repartit-elle comme Mme Caron apportait le dessert et le café.

« – Tu n'as rien fait pour l'empêcher, poursuivit mon père. Tu as même attendu que cela se produise.” En général, ils attendaient que Mme Caron soit sortie pour régler leurs différends, mais, cette fois, mon père était comme un ballon gonflé à bloc, écarlate, les yeux exorbités et flamboyants de colère. “Ce n’est rien de moins qu’un piège, une pure et simple incitation à la faute pour mieux me punir après : une vile manœuvre, ignoble et répugnante !

« – Le fond du problème, c’est qu’elle n’a pas assisté à un des événements les plus importants de son cursus scolaire”, s’entêta ma mère, imperturbable. Son calme mit mon père hors de lui. Il s’agita nerveusement un moment, puis se tourna brusquement vers moi.

« “Je suis désolé, Jade — si tu n’y es pas allée à cause de moi, du moins, dit-il, espérant manifestement que j’allais prendre sa défense.

« – Évidemment qu’elle n’y est pas allée à cause de toi ! lui décocha ma mère, enfonçant le clou.

« – Laisse-la parler, bon sang ! s’emporta-t-il. C’est d’ailleurs quelque chose que tu ne la laisses plus jamais faire : dire ce qu’elle pense.

« – C'est ridicule ! s'écria ma mère. Jamais je...

« – STOP ! hurlai-je, en plaquant mes mains sur mes oreilles. Je n'y suis pas allée parce que je me suis enfuie de la maison. J'ai pris l'avion pour San Francisco et j'ai presque été kidnappée, violée et tuée et vous n'en savez même rien ni l'un ni l'autre !"

« Ils sont restés là, assis sans bouger, à me dévisager, bouche bée.

« "Comment ?" lâcha finalement mon père. Il consulta ma mère du regard. Elle secoua la tête, les traits figés, visiblement en état de choc.

« "J'EN AI ASSEZ ! ASSEZ !" m'égosillai-je encore, avant de sortir en courant de la salle à manger pour monter l'escalier quatre à quatre et me réfugier dans ma chambre, claquant la porte à toute volée avant de la fermer à double tour.

« Dix minutes plus tard, ils me suppliaient de les laisser entrer et de leur expliquer ce que j'avais voulu dire. Je ne leur ai pas répondu. Ma mère est descendue interroger la cuisinière. En pure perte puisque, si Mme Caron savait effectivement que j'étais partie, elle aurait été bien en peine de préciser combien de temps. Je ne la prévenais pas lorsque je sortais et je ne lui disais jamais ni où j'allais ni quand je rentrerais. Dans ces conditions, comment aurait-elle pu la renseigner ?

« Pendant ce temps, mon père continuait à m'implorer de lui dire ce qui s'était passé. Mais, devant tant de mauvaise volonté, ils ont fini par capituler pour retourner à leurs affaires respectives.

« Plus tard, lorsque j'ai été à peu près calmée et qu'ils m'ont de nouveau questionnée, je leur ai résumé l'essentiel de ma mésaventure. Ils en ont, bien sûr, profité pour se rejeter mutuellement la faute et ont tous deux menacé de s'en servir au procès. Mon père a insisté pour obtenir plus de détails afin de prévenir la police. Mais je n'ai pas voulu en entendre parler. La simple perspective de devoir revoir M. Bennet me glaçait le sang. Mes parents ont donc renoncé à porter plainte et décidé, devant moi du moins, de faire comme si de rien n'était.

« Après un certain temps, ce sinistre souvenir finit même par s'effacer de ma propre mémoire, sans doute parce que, comme me l'a dit le Dr Marlowe, j'utilise de puissants mécanismes de défense pour éviter de revivre mes traumatismes. Je suppose qu'aujourd'hui j'ai quelque peu endommagé ces soupapes de sûreté, n'est-ce pas, docteur ?

– Non, répondit doucement l'intéressée. Quelquefois, le meilleur moyen de tuer ses démons, c'est encore de les laisser sortir et de les exposer à la lumière.

– Comme les vampires, quoi. C'est ça, docteur Marlowe ? demanda Misty.

– Oui, Misty, comme les vampires, approuva en riant notre psychiatre.

– Et l'espèce de taré, là, s'enquit Star. Il ne t'a pas rappelée ou récrit, après ça ?

J'acquiesçai.

– C'était plus fort que moi. Par un étrange processus que je ne parviens pas à m'expliquer, je me suis empressée de retourner sur le net, comme si j'avais été irrésistiblement attirée par mon ordinateur. Et, comme on pouvait s'y attendre, un e-mail m'attendait dans ma boîte aux lettres électronique. Sauf qu'il était de Craig, pas de M. Bennet, évidemment.

– Qu'est-ce qu'il te disait ? me demanda Cat.

– Il me demandait d'excuser la conduite de son père, invoquant l'énorme pression qu'il subissait, ces derniers temps, parce qu'il avait perdu son emploi et qu'il avait de gros problèmes d'argent, sans parler de la montagne de stress émotionnel qu'il endurait. Il me disait aussi que l'état mental de son petit frère Sonny s'était également dégradé, qu'il s'était de plus en plus replié sur lui-même et qu'il n'était pas impossible que l'on dût l'interner. Je pense que c'est effectivement ce qui s'était passé.

– Tu ne lui as pas répondu, hein ? s'inquiéta Star.

– Non. J'ai pris un nom d'emprunt et je l'ai semé dans le cyberespace. J'aimerais bien pouvoir en faire autant pour moi, ces temps-ci : disparaître à jamais dans l'immensité du virtuel…

Pendant un long moment, chacune demeura plongée dans ses pensées. Je pris une gorgée d'eau et regardai l'horloge. *Quand je suis entrée dans cette pièce, ce matin,* pensai-je, *jamais je n'aurais ima-*

giné rester aussi longtemps, ni avoir tant de choses à raconter.

– Un peu plus tard, repris-je, je devais bien constater que ces événements avaient finalement réussi à affecter mes parents. En tout cas, ils m'avaient, moi, profondément marquée, pour ne pas dire traumatisée, et c'est à la suite de cela que j'ai commencé à me renfermer.

J'adressai un sourire à notre psychiatre.

– C'est l'une des raisons qui expliquent ma présence ici, d'ailleurs, n'est-ce pas, docteur Marlowe ?

Elle hocha la tête en silence.

– Mes notes n'ont pas tardé à refléter mon manque d'intérêt de plus en plus patent pour les études. J'abandonnais, l'une après l'autre, toutes mes activités extra-scolaires. Je commençais aussi à rompre tout contact avec la plupart de mes amies : j'en avais assez des interrogatoires sur ma vie à la maison, sur le divorce de mes parents et sur la façon dont je le prenais. Toutes ces questions m'étaient vite devenues absolument insupportables. Votre vie privée peut rapidement tourner au feuilleton télé, dans mon lycée, et, croyez-moi, le mien faisait exploser l'audimat : tous les élèves brûlaient de découvrir l'épisode suivant !

Star me manifesta son soutien d'un grognement dégoûté. Misty adressa un sourire entendu à Cat, laquelle le lui rendit sans hésiter. J'avais d'ailleurs l'impression qu'elle sortait de plus en plus de sa coquille. J'imagine que le Dr Marlowe savait vraiment ce qu'elle faisait, en nous proposant cette thérapie de groupe : le fait est qu'elle était manifestement profitable — à certaines, du moins.

– Un après-midi, en rentrant du lycée, je fus surprise de trouver ma mère à la maison, enchaînai-je. Elle avait enfilé un jean et un chemisier, mis des tennis et s'était attaché les cheveux avec un bandana jaune flashy. Incroyable à quel point cette tenue la rajeunissait ! Cela faisait même des lustres que je n'avais pas vu ma mère avec une allure aussi juvénile.

« Elle sortait de la cuisine comme je franchissais le seuil et m'interpella : "Viens, me dit-elle. J'ai déniché un extraordinaire magasin de cristaux à Santa Monica et j'ai envie de faire quelques emplettes pour la maison. Accompagne-moi. Ce sera très amusant, tu verras."

« Cette invitation m'a tellement désarçonnée que je suis restée plantée là, à la regarder, bouche bée, comme une imbécile. Elle a éclaté de rire, puis m'a donné cinq minutes pour me changer et la rejoindre à la voiture.

« Ce que j'ai fait. Nous avons ensuite pris la direction de la mer. Elle n'a pas évoqué une seule fois sa sacro-sainte carrière de tout le trajet. Au contraire, elle disait qu'elle avait trop travaillé, qu'elle avait été idiote de ne pas profiter davantage des bonnes choses de la vie, qu'il était grand temps de recueillir le fruit de ce dur labeur…

« Nous avons passé un après-midi de shopping très agréable. Elle m'a offert un magnifique pendentif de cristal, puis nous sommes allées dans une boulangerie acheter une miche de pain croustillant et une dizaine de petits fours frais.

« “L'école est finie ! s'écria-t-elle. Toutes les folies sont permises. Pas de calcul de calories ce soir !”

« Ce qui me parut plutôt cocasse vu qu'elle ne comptait jamais et me faisait même des reproches quand elle me surprenait sur la balance ou me voyait lire des articles sur le sujet.

« Comme j'éclatais de rire, elle s'est jointe à mon hilarité. Et, soudain, elle a quitté l'autoroute qui nous ramenait à la maison pour emprunter la route touristique qui longe l'océan Pacifique et admirer la mer. Quel merveilleux spectacle que tous ces voiliers glissant à la surface de l'eau avec leurs voiles blanches se découpant sur l'azur limpide du ciel ! Et quelle formidable sensation de sérénité !

« "C'est si beau ici ! me dit ma mère. J'ai trop souvent tendance à l'oublier. Je tiens tout cela pour acquis, j'imagine." Puis elle s'est tournée vers moi. Jamais je ne lui avais vu un air si grave, si préoccupé.

« "Je ne veux pas que tu penses que je me moque éperdument de ce que tu endures depuis quelque temps, Jade, m'affirma-t-elle. Et ne crois pas que je nie toute culpabilité dans cette affaire. Je reconnais que j'ai ma part de responsabilité. Ce qui t'est récemment arrivé m'a fait une peur bleue, tu sais. J'ai bien essayé de ne plus y penser, mais cela m'obsède. J'ai tellement de chance que tu me sois revenue saine et sauve, murmura-t-elle, les larmes aux yeux. Je n'aurais pas blâmé ton père, non. Je m'en serais voulu à moi, terriblement."

« Elle ravala ses larmes et m'assura que les choses allaient changer.

« "Nous devons nous rapprocher davantage, Jade, comme deux sœurs, reprit elle. Je te promets de te consacrer plus de temps, dorénavant. Allez ! Faisons du déjeuner du samedi notre rendez-vous hebdomadaire, un petit moment rien qu'à nous, d'accord ?"

« J'ai bien évidemment accepté, en dépit de la voix de mon père qui résonnait déjà dans ma tête pour exiger, en contrepartie, de déjeuner avec moi tous les dimanches ou un samedi sur deux. Après tout, c'était bien la règle du jeu, jusqu'à présent.

« Quel que soit le nombre de fois où ils n'ont pas tenu parole, je crois que nous ne nous lassons jamais d'entendre nos parents nous promettre monts et merveilles. C'est un peu comme acheter encore un billet de loterie après avoir perdu tant et tant : vous ne pouvez tout simplement pas vous empêcher de rêver et d'espérer.

« Le lendemain, mon père m'attendait à la sortie du lycée pour me raccompagner en voiture à la maison.

« "Je me suis rendu compte que j'étais à deux pas, prétexta-t-il. Et je me suis dit que ce serait amusant de te faire la surprise. Comment s'est passée ta journée ?

« – Bien", répondis-je. Ce qui était loin d'être le cas. J'avais raté un important devoir de maths et ma moyenne générale avait tellement plongé, que j'étais sûre d'être radiée du tableau d'honneur à la fin de l'année. Mais je me suis bien gardée de le lui dire.

« "Je sais que tu ne veux plus parler de ce sinistre épisode de San Francisco et, pour ne rien te cacher, moi non plus, reprit-il avec un sourire. Cela me donne des cauchemars, à moi aussi. Une chose pareille n'aurait jamais dû arriver et je n'aurais jamais dû partir la veille de la remise des prix. Je suis vraiment désolé."

« Les excuses de mes parents me faisaient toujours l'effet de ces grosses gouttes de pluie glacée qui vous trempent jusqu'aux os : je les avais en horreur et je les fuyais comme la peste. Je ne répondis pas, me contentant de détourner la tête pour regarder défiler les villas par la vitre de la portière.

« “Cela a tout de même eu le mérite de m'apprendre quelque chose, poursuivit-il. À savoir : que j'étais en train de rater le coche. Je devrais profiter de ces dernières années que tu passes auprès de nous. Je veux partager davantage de choses avec toi : ce que tu fais, tes distractions, ce qui t'amuse. J'ai décidé de réduire ma charge de travail pour te consacrer plus de temps. N'hésite surtout pas à me demander de t'emmener, si tu veux aller quelque part ou assister à quoi que ce soit. Trêve de calendriers et de programmes ! Je trouverai bien le temps. Je changerai les dates de mes réunions et repousserai mes rendez-vous. Nous devrions faire plus de choses ensemble, insista-t-il. D'accord ?”

« Je me retournai vers lui.

« “D'accord”, lui répondis-je. Mais j'étais devenue tellement méfiante vis-à-vis de mes parents que je retenais pratiquement mon souffle, craignant qu'à la moindre question, cet incroyable revirement dans leur attitude, ce miracle inespéré, n'éclatât comme une bulle de savon.

« Il décréta que ce serait “amusant” de

s'arrêter prendre une vraie glace à l'ancienne dans un endroit qu'il connaissait et où on les faisait encore de façon artisanale. Nous nous sommes donc rendus chez ce fameux glacier où il entreprit subitement de me parler de ses jeunes années. Il me raconta des choses qu'il ne m'avait jamais dites à propos de sa timidité maladive envers les filles, de sa première vraie petite amie et de son premier rendez-vous arrangé pour le bal du bac avec une certaine Berle Lownstein qui avait perdu son appareil dentaire au beau milieu d'un rock endiablé. Je ne pus m'empêcher de m'esclaffer. Je riais même tellement, à certains passages, que je ne parvenais plus à reprendre mon sérieux. *Quelles que soient ses véritables intentions,* pensai-je, *cela fait longtemps que je n'ai pas autant ri.* C'était un vrai bonheur.

« Soudain, ils se battaient réellement pour obtenir mon attention, mon affection, un peu de mon temps, et me bombardaient de suggestions d'activités en tout genre dans le seul dessein de passer quelques bons moments avec moi. Je détestais être obligée de refuser la proposition de l'un parce que j'avais déjà quelque chose de prévu avec l'autre, mais ils n'en faisaient pas un drame et, à mon grand étonnement, il n'y eut jamais de scène à ce propos — contrairement à ce que je craignais. Ils semblaient avoir choisi de s'effacer au second plan pour me laisser le rôle principal : enfin je respirais ! Je commençais à les suspecter d'avoir tous deux signé un accord secret en ces termes que chacun fasse de son mieux et que le meilleur gagne.

« Une nuit, il me vint soudain à l'esprit que tout ce déferlement de bienveillantes attentions avait commencé après que le juge, qui trancherait la question de la garde, avait fixé la date de mon rendez-vous avec lui pour un entretien à huis clos dans son bureau.

« Je m'endormis le cœur serré par cette nouvelle angoisse, me tournai et me retournai dans mon lit toute la nuit et me réveillai recroquevillée comme un hérisson terrifié.

« Et si toutes ces démonstrations d'affection, tous ces moments de joie partagée, tout cet empressement et toute cette chaleureuse bienveillance n'étaient qu'une abominable supercherie ?

« Et si je n'étais toujours qu'un pion, une pièce que l'on déplaçait à loisir sur l'échiquier, un bien, un trophée ?

« Et si tout cela n'était qu'une bataille de plus dans leur interminable guerre des nerfs ?

7

– Mon entretien avec le juge avait été fixé au jeudi suivant, à dix heures. Je devais y aller en limousine, seule, pour que ni mon père ni ma mère ne puissent m'influencer pendant le trajet. Le Dr Morton m'avait proposé de m'accompagner, mais j'avais refusé. J'aurais dû accepter.

« Je me souviens de l'atroce solitude que j'éprouvais, blottie dans mon coin, à l'arrière. Jamais je ne m'étais sentie aussi perdue sur cette grande banquette. La pluie tambourinait sur le toit. Il pleuvait à verse. Le crépitement sur la tôle était assourdissant : de véritables rafales de mitraillettes. Je me souviens même d'avoir pensé que Dieu se mettait en colère. Le ciel était si sombre. Et cette limousine qui avançait au pas, avec une pompe de corbillard, c'était d'un sinistre !

« Lorsque nous arrivâmes enfin au

tribunal, Marla, l'assistante du juge Norton Resnick, vint m'accueillir. Je lui avais déjà parlé au téléphone, la veille. C'était une grande blonde élancée aux cheveux courts et aux yeux bleus, de ceux qui vont de pair avec un sourire radieux dont tout le visage s'illumine. La chaleur de son accueil me rasséréna quelque peu. Mais, à la seule perspective de me retrouver au tribunal, à l'endroit même où mes parents allaient se déchirer et se battre par avocats interposés pour leurs biens, leur maison et, surtout, leur fille, j'avais les nerfs à vif, vrillés, tendus à se rompre. Au moment où nous franchissions le portique de sécurité, mon cœur s'emballa. Après tous ces mois de disputes, de discussions, d'entretiens, d'interrogatoires — des mots, des mots, encore et toujours des mots —, voici que l'on passait à l'action. Soudain, le processus s'accélérait. Tout s'enclenchait si vite ! J'en avais le vertige. L'appréhension me nouait l'estomac, me donnait des sueurs froides, des palpitations. À peine étais-je arrivée que l'on me conduisait déjà le long d'un large couloir dallé de marbre. Des voix résonnaient. Des hommes et des femmes élégants nous croisaient. Certains échangeaient d'aimables plaisanteries, d'autres semblaient plongés dans de fiévreux débats. J'avais beau me raisonner, le décor m'intimidait. En vérité, j'étais morte de peur. Que venais-je donc faire ici ? Aux palpitations succédèrent bientôt les grands coups de boutoir martelant sourdement ma poitrine.

« "Par ici, Jade", me dit Marla, en poussant une porte de verre dépoli. Je pénétrai dans un petit bureau. Marla me demanda de patienter quelques instants et disparut derrière une double porte capitonnée qu'elle referma avec précaution.

« J'hésitai à m'asseoir de peur qu'au moment de me lever mes jambes ne refusassent de me porter. Fort heureusement, moins d'une minute plus tard, Marla revenait, me conviant à entrer.

« La pièce me surprit par son exiguïté. Le juge Resnick en personne se tenait assis derrière un large bureau d'acajou, encombré de deux piles d'épais volumes reliés : une à sa droite, une à sa gauche. Devant lui étaient posés une grosse chemise jaune, contenant probablement les pièces du procès, et un bloc de papier ministre. Les murs étaient tapissés de plaques, de gravures et de photos, tout particulièrement celui qui se trouvait derrière lui et sur lequel trônait le drapeau américain. La photo du gouverneur de l'État, bien en vue, sortait du lot.

« Les deux fenêtres de la pièce donnaient sur la rue, mais les gouttes de pluie qui zigzaguaient sur les carreaux empêchaient d'en admirer le spectacle — si tant est qu'il fût admirable.

« Le cheveu frisé d'un noir de jais, l'œil rond, le nez épais, le juge Resnick devait avoir la cinquantaine ; cinquante-cinq ans, peut-être. Ses joues rebondies, couronnées d'un halo vermeil, lui donnaient un faux air de Père Noël. Drapé dans sa longue robe de magistrat, il paraissait plus grand et plus imposant qu'il ne devait l'être, en réalité ; quoique, quand il se leva, son tour de taille se révélât très supérieur à ce que j'avais imaginé.

« Un grand fauteuil directorial noir lui faisait face, de l'autre côté du bureau. À droite, assis à une petite table, se tenait un homme mince aux cheveux châtains et aux yeux bruns cachés derrière les verres épais de ses lunettes. Je le dévisageai à la dérobée : sa bouche me parut beaucoup trop petite pour son visage ovale. Il me jeta à peine un regard, gardant la pose, parfaitement immobile, avec une raideur compassée qui ne fit qu'accroître ma nervosité.

« "Bonjour, Jade", me dit le juge, avec un si large sourire que ses lèvres, pourtant charnues, en perdirent presque toute couleur. Il me tendit une main épaisse, que je serrai rapidement, puis me désigna du menton le large fauteuil noir, en m'invitant à y prendre place. Il adressa un discret signe de tête à Marla qui s'éclipsa aussitôt.

« Je jetai un coup d'œil au greffier qui avait levé les mains au-dessus de son clavier, tel un pianiste s'apprêtant à exécuter un grand concerto. Le juge se rassit, appuya, l'une sur l'autre, l'extrémité de ses doigts boudinés, puis fronça les sourcils pour m'examiner, cherchant probablement à se faire de moi une première impression.

« "Accordons-nous un petit moment de détente, avant d'entrer dans le vif du sujet. Pour commencer, je te présente

M. Worth", déclara-t-il en regardant le greffier. M. Worth hocha la tête et ébaucha une sorte de rictus contraint qui n'eût guère pu passer, l'eût-il voulu, pour un sourire. Il ne semblait nullement "détendu". Au contraire, les épaules et le cou contractés, droit comme un piquet, il avait même l'air de s'impatienter.

« Le juge s'éclaircit la voix.

« "Il n'y a rien, dans ce que nous allons faire, à présent, qui soit de nature à te rendre nerveuse, me dit-il. Je voudrais, au contraire, que tu te sentes suffisamment à l'aise pour pouvoir t'exprimer tout à fait librement. J'ai cru comprendre, aux dires de ton conseiller d'orientation et de tes professeurs, ainsi qu'à la lecture de ton dossier scolaire, que tu étais une jeune fille très intelligente. Tu n'es pas loin de devenir indépendante : de prendre tes propres décisions et d'assumer l'entière responsabilité de tes actes et, d'après ce que j'ai vu, tu devrais très bien t'en sortir."

« Sa voix était douce ; son ton, égal ; sa façon de parler, très naturelle, décontractée. Je n'en étais pas moins sur des charbons ardents.

« “Voici ce que nous allons faire, poursuivit-il. Nous allons avoir, tous les deux, une petite conversation sur tout cela pour que je puisse me faire une idée aussi précise que possible de ce que tu en penses. Je tiens à ce que tu saches, dès maintenant, que, dans cette affaire, la personne la plus importante à mes yeux, c'est toi. Ce sont tes attentes, à l'exclusion de toute autre, que nous devons chercher à satisfaire. J'espère que, de ton côté, tu feras preuve de la plus grande honnêteté pour que je travaille au mieux à défendre tes intérêts.

« – Mes notes ont vertigineusement chuté, depuis quelque temps”, lui avouai-je. *Quant à “faire preuve de la plus grande honnêteté”, autant le faire dès maintenant,* me disais-je.

« “Ah ! hum ! Et pourquoi donc, à ton avis ? me demanda-t-il, en rivant sur moi un regard d'une troublante intensité.

« – Je suppose que l'on peut en déduire, sans risquer de se tromper, que j'ai été quelque peu... perturbée ?” hasardai-je, pince-sans-rire. Il ne s'esclaffa pas, mais un petit pétillement malicieux éclaira ses prunelles.

« “Oui, j’imagine, acquiesça-t-il. Cela fait d’ailleurs partie de ce dont j’aimerais que tu me parles : comment les choses se sont passées pour toi, comment tu as vécu ces derniers mois.”

« Je détournai les yeux pour regarder par la fenêtre ruisselante, par-delà le voile de buée et le rideau de pluie. *Comment j’avais... “vécu” ? Ah ! bonne question !* pensai-je.

« “Difficilement”, répondis-je. Il ne m’en aurait pas arraché davantage, m’en eût-il suppliée à genoux.

« Le fait est qu’avant même de commencer, j’étais déjà traumatisée par mes propres réponses. J’étais terrifiée à l’idée des paroles qui pourraient m’échapper, expliquai-je à mon auditoire.

– Pourquoi ? s’étonna Misty.

– Parce que, à mes yeux, un seul mot pouvait suffire à faire pencher la balance et inciter le juge à trancher en faveur de ma mère ou de mon père, et tout cela, uniquement par ma faute. Quels qu’aient pu être mes reproches à l’encontre de mes parents, je ne voulais pas encourir leur haine et moins encore les faire souffrir.

« Mais le juge Resnick n'était pas un mauvais juge. C'était un homme d'expérience qui devait s'être, maintes fois, trouvé confronté à des cas comme le mien. Il aurait tout aussi bien pu lire dans mes pensées : il s'attendait à mes réticences et comprenait mes scrupules.

« "Je tiens à ce que tu saches que, sans minimiser l'importance primordiale du tien, j'ai d'autres témoignages à prendre en considération, me dit-il, et que d'autres faits entrent en ligne de compte, des faits dont tu ignores peut-être toi-même jusqu'à l'existence.

« "Tu es assez grande pour comprendre certaines choses, Jade. Je n'irai donc pas par quatre chemins : préférerais-tu, ou aurais-tu quelque raison qui te pousserait à juger préférable, que le droit de garde te concernant soit confié exclusivement à l'un de tes parents, et, si oui, lequel ?"

« *Comment peut-on répondre à une telle question à moins de haïr l'un ou l'autre de ses parents ?* pensai-je. *Un juge demanderait-il à un père ou à une mère de choisir entre ses enfants ?*

« Pouvais-je effacer tous les bons moments que j'avais passés avec eux, ensemble ou séparément ? Devais-je donc sélectionner les plus mauvais souvenirs, ceux des disputes et des déceptions, tous ces moments où j'avais éprouvé colère et rancune, pour parvenir à me cuirasser contre mon père ou contre ma mère ? J'aurais voulu que l'on pût me couper en deux ou me cloner pour que chacun obtînt ce qu'il voulait.

« "Te sens-tu, d'une façon ou d'une autre, plus proche de l'un d'entre eux ? poursuivait-il. Ou, laisse-moi te présenter les choses autrement : penses-tu que l'un ou l'autre soit mieux à même de t'apporter ce dont tu as ou auras besoin à cette période de ta vie ? J'ai vu des filles de ton âge estimer qu'elles auraient plus besoin de la présence de leur mère", ajouta-t-il, en haussant ses épais sourcils broussailleux, manifestement impatient de voir si le poisson allait mordre à l'hameçon.

« "J'aimerais qu'ils soient plus présents tous les deux", lui répondis-je. Il opina du bonnet, m'encourageant du regard. *Il veut juste que je parle,* songeai-je. *Des mots, encore des mots, toujours des mots...*

« Alors je me suis mise à parler. J'ai parlé de mes parents et de leurs sacro-saintes carrières. J'ai parlé de tous ces moments où aucun n'avait été là quand j'avais eu besoin de lui. Je suppose qu'en lui disant tout cela, c'était ma propre solitude que j'exprimais. Puis je me moquai ouvertement de cette fameuse indépendance-à-venir à laquelle il avait fait référence, quelques instants plus tôt : "J'ai parfois l'impression que je me suis élevée toute seule, lui confiai-je. Alors, l'indépendance, je sais ce que c'est. Cela n'aura vraiment rien de nouveau pour moi."

« Il m'écoutait si attentivement, si calmement, que je finis par me prendre au jeu ; à tel point que j'oubliais le crépitement des touches sous les doigts du greffier qui notait la moindre de mes paroles à la vitesse de la lumière. Peu à peu, le regard du juge Resnick s'assombrissait. J'y voyais même, par moments, flamboyer la colère.

« "Déjà, ce n'est pas juste que je sois obligée de venir ici, de me retrouver dans cette situation, là, devant vous, m'insurgeai-je. Ce ne devrait pas être à moi d'endurer cela. C'est leur problème, après tout."

« Quand j'en eus terminé, il demeura un instant silencieux. Son visage s'était tellement rembruni qu'il en était presque méconnaissable. Il se pencha, examina un des documents posés sur son bureau, puis leva les yeux vers moi et me demanda : "Et si tu ne vivais ni chez l'un ni chez l'autre, l'an prochain, cela te contrarierait-il beaucoup ?

« – Avec qui voudriez-vous que je vive ? Où voudriez-vous que je vive ?" lui répliquai-je.

« Comme il suggérait les parents de mon père, je m'esclaffai de si bon cœur que ses sourcils en bondirent de stupeur — ou d'indignation, peut-être ? Je lui expliquai, alors, la nature de mes relations avec mes grands-parents, insistant sur la rareté de mes visites, tant chez les parents de mon père, que chez ceux de ma mère. Quand il m'interrogea sur les autres personnes de ma famille, il obtint la même réponse.

« À voir sa mine embarrassée, je ne lui facilitais guère la tâche. Tout aurait été tellement plus simple si je lui avais dit :

“Oh oui ! monsieur le juge, c’est de ma mère que j’ai le plus besoin, maintenant. Voyez-vous, il est des problèmes typiquement féminins dont seule une mère peut discuter avec sa fille et pour lesquels mon père ne me serait d’aucun secours.” Mais d’autres problèmes, d’un ordre totalement différent, se profilaient déjà à l’horizon. Comme il aurait été facile de lui dire, alors, que c’était de mon père que j’aurais le plus besoin pour les régler.

« *Je sais comment nous pouvons résoudre ce dilemme, Votre Honneur,* songeai-je. Au *lieu de couper l’enfant en deux, coupez donc les parents, et collez chaque moitié l’une sur l’autre. Confectionnez-moi un parent d’un genre nouveau : mi-papa, mi-maman. Seulement, assurez-vous, avant, que ce sont bien les parties gangrenées que vous enlevez, les plus gorgées de haine, vous comprenez ?*

« Cette idée m’amusa. Le juge Resnick sourit devant ma mine réjouie et me demanda ce qui me semblait, tout à coup, si cocasse.

« Je décidai de le lui dire. Cela ne le fit pas rire. Au contraire, une immense tristesse envahit ses prunelles. Il hocha la tête, d'un air résigné. Je jetai un coup d'œil furtif au greffier : pour une fois, son visage, habituellement si inexpressif, manifestait un certain étonnement mâtiné, me sembla-t-il, d'une pointe de curiosité.

« Mais le juge Resnick n'en avait pas encore fini. Il me questionna aussi sur ma vie quotidienne, mes ambitions, ma vision de l'avenir, m'interrogeant, à chaque fois, sur la part qu'y prenaient mes parents, le rôle qu'ils jouaient dans tout cela — sans doute en quête de quelque preuve, aussi infime fût-elle, que l'un des deux se sentait plus concerné, s'impliquait davantage que l'autre. Tant et si bien que j'eus bientôt l'impression d'être dans la peau du témoin qu'un procureur infatigable et sans merci soumet à un contre-interrogatoire aussi serré qu'infaillible.

« J'en vins finalement à lui parler des récents actes de contrition de mes parents et de leurs promesses toutes neuves à propos de tout ce temps que chacun allait passer avec moi et de toutes ces choses follement amusantes que nous allions faire ensemble. Le sujet sembla vivement l'intéresser jusqu'au moment où j'ajoutai que, chez moi, les promesses n'étaient que des mensonges enrubannés et que, chaque semaine, notre domestique les aspirait, puis les jetait dans l'incinérateur avec le reste des ordures ; sortie que je ponctuai d'un sourire satisfait et d'un petit rire nerveux. Il laissa échapper un soupir et me demanda — probablement dans l'espoir de détendre l'atmosphère — si je voulais boire quelque chose. "La ciguë", persiflai-je. Il ne goûta pas du tout la plaisanterie.

– C'est quoi de la ciguë ? s'enquit Star.

– Du poison. Celui que l'on a fait boire à Socrate, pour être précise, lui répondis-je.

Star coula un regard vers le Dr Marlowe avant de reporter son attention sur moi.

– Je commençais à me lasser de cette inquisition. La morosité de ce jour pluvieux avait fini par me gagner et je ne rêvais plus que d'une seule chose : dormir.

« "Donc, reprit le juge Resnick, que j'accorde le droit de garde à l'un ou à l'autre de tes parents ne t'affectera pas plus que cela, si je comprends bien. Cette assertion te paraît-elle correcte ?

« – Franchement, Votre Honneur, lui répondis-je, je m'en fiche royalement. »

« C'est une réplique *d'Autant en emporte le vent* et, à mes yeux, c'était tout à fait de circonstance. *Autant en emporte le vent* se déroule pendant la guerre de Sécession. Or, n'était-ce pas très précisément ce qu'il se passait chez moi : une guerre civile, une guerre de "sécession" ?

« Cependant, cette fois encore, cela ne fit pas rire le juge Resnick. Il fronça les sourcils, nota quelque chose sur son bloc, puis se cala de nouveau dans son fauteuil, avec un air pour le moins songeur.

« "Bien, dit-il, comme s'il était enfin parvenu à quelque conclusion. Je pense que nous en resterons là pour aujourd'hui. Merci de ta coopération, Jade. Ton aide m'a été très précieuse. J'espère sincèrement que tout s'arrangera pour toi. Tu as montré une belle force de caractère et de très réelles qualités. Aussi, et sans vouloir minimiser l'importance et la portée de cette affaire, je pense que tu surmonteras tout cela, que tu t'en relèveras très vite et que tu deviendras bientôt une jeune femme accomplie."

« *Êtes-vous juge ou devin ?* eus-je la tentation de lui demander. *À moins que cela ne revienne au même ?* Mais je sus tenir ma langue, pour une fois. Marla fut de nouveau réquisitionnée pour m'escorter jusqu'à la limousine. Je jetai un ultime coup d'œil au greffier avant de partir : il semblait à deux doigts de périr d'ennui. Je suppose que cette banale question de droit de garde n'avait rien de passionnant pour lui — cela ne valait sans doute pas un vol à main armée ni un crime bien sanglant.

« “Le juge Resnick est l'un des meilleurs, pour ce genre d'affaires, m'assura Marla, tout en me raccompagnant à la porte. C'est un homme impartial et très avisé qui prend toujours le temps de peser mûrement sa décision et entreprend des investigations approfondies avant de rendre son verdict.

« – Quelle chance ! lui répondis-je, en arrivant à la voiture. Je le recommanderai à toutes mes amies !”

« Je reconnais que ce n'était pas très correct de m'en prendre à elle, mais j'en avais vraiment assez de toute cette histoire et il se trouvait qu'elle en faisait partie. Je l'ai tout de même chaleureusement remerciée de ses encouragements avant de monter dans la voiture.

« "À la maison, James !" lançai-je en m'asseyant à l'arrière. J'avais toujours rêvé de dire cela. Le chauffeur me jeta un coup d'œil dans le rétroviseur. Ce n'était pas le même qu'à l'aller.

« "Je ne m'appelle pas James", grommela-t-il.

« L'averse avait laissé place à une légère bruine, mais la circulation n'en était pas plus fluide pour autant. J'eus la nausée pendant tout le trajet et fermai les yeux pour tenter de réprimer mes haut-le-cœur. *Heureusement que je n'ai presque rien mangé au petit déjeuner !* pensai-je.

« Mes parents ne rentreraient pas avant la fin de l'après-midi. Je m'en félicitais. Je savais qu'ils me dévisageraient tous deux, scrutant chaque détail de mon visage, analysant le moindre de mes gestes, en quête de quelque indice qui pût leur révéler ce que j'avais bien pu dire au juge.

« Cette pensée se fit de plus en plus envahissante dans mon esprit ; de plus en plus pesante, aussi. J'appréhendais de les voir à table. J'appréhendais de les voir, tout court. Qu'allait faire le juge de mon témoignage ? Quel cœur avais-je brisé ? Celui de mon père ? Celui de ma mère ? Pourquoi personne ne se préoccupait-il de mon cœur, à moi ?

« La pluie se remit à tomber à verse ; tant et si bien qu'il devint presque impossible de distinguer quoi que ce fût à travers les vitres. Le chauffeur pestait contre le temps, mais poursuivait sa route contre vents et marées, avec cette même lenteur exaspérante qui m'avait vrillé les nerfs à l'aller. À peine étions-nous arrivés que, sans lui laisser le temps de faire le tour de la voiture, son parapluie à la main, j'ouvrais la portière et me précipitais sous le porche, m'ébrouant comme un chien mouillé.

« La maison était silencieuse et plongée dans la pénombre : Rosina n'avait pas jugé bon d'allumer toutes les lampes. Mme Caron s'affairait probablement en cuisine à la confection de quelque repas de gourmet pour le dîner. *Le ciel peut bien s'effondrer,* me dis-je, en me dirigeant vers l'escalier, *nous mangerons toujours comme des rois !*

« J'avais le corps recru de douleurs lancinantes. Je ne m'étais pas rendu compte de la violence de cette tension qui ne m'avait pas quittée de toute la matinée. Ma nuque me faisait tout particulièrement souffrir. Tel le rescapé d'un grave accident de voiture, j'avais l'impression d'éprouver le contrecoup du choc : un véritable traumatisme. Mais, après tout, cette affaire n'était-elle pas un épouvantable accident sur la belle autoroute rectiligne qu'avait été mon existence de rêve, jusqu'alors ?

« Le besoin que j'éprouvais de m'allonger et de dormir se faisait de plus en plus impératif. Je me déshabillai, me traînai jusqu'à mon lit et m'effondrai, harassée. Mais chaque fois que je fermais les yeux, je voyais le juge Resnick assis devant moi, avec son regard pénétrant et son expression sinistre, et revivais le calvaire de mon interrogatoire. S'il disparaissait enfin, ce n'était que pour laisser place au visage défait, tantôt de mon père, tantôt de ma mère, lesquels semblaient tout aussi accablés l'un que l'autre. J'avais beau me débattre, tenter de chasser ces horribles cauchemars dès qu'ils se présentaient, ils revenaient aussitôt pour me harceler sans relâche. De guerre lasse, je finis par m'asseoir dans mon lit. C'était vraiment à s'arracher les cheveux. J'en aurais hurlé. Pendant un moment, je me contentai de regarder fixement le mur, puis je me levai, enfilai ma robe de chambre et me rendis dans la chambre de ma mère.

« Je cherchai ses somnifères dans sa table de chevet et rapportai le flacon dans ma chambre.

Avant de poursuivre, je jetai un regard au Dr Marlowe, puis aux filles. Toutes semblaient retenir leur souffle. Je fus tentée de leur offrir mon plus beau sourire et de leur lancer : "C'est tout." Mais elles savaient pertinemment qu'il n'en était rien. En outre, je voulais leur dire. Je voulais le faire sortir, évacuer cela de mon corps, le cracher aussi violemment que l'on recrache une gorgée de lait tourné.

– J'ai pensé que, si je prenais deux comprimés, je réussirais à dormir un peu. Et puis, j'ai pensé que, si j'en prenais trois, je pourrais sauter le dîner et éviter ainsi la confrontation à table. Et puis que, si j'en prenais quatre, je réussirais à dormir d'une traite jusqu'au matin. Et puis que, si j'en prenais cinq, je sauterais le petit déjeuner.

« Tandis que toutes ces pensées défilaient dans ma tête, je crois que je me suis mise à rire et à rire, avalant un comprimé, et puis un autre, et encore un autre, jusqu'à ce que presque tout le contenu du flacon fût dans mon estomac. Ensuite, je me suis allongée, les yeux rivés au plafond, et j'ai attendu. Mes paupières sont devenues de plus en plus lourdes, de plus en plus lourdes pour, finalement, se fermer brutalement, comme un énorme couvercle d'acier qui retombe d'un seul coup.

« C'était comme si, l'effet des somnifères aidant, je parvenais à remonter le temps, comme si je rajeunissais à vue d'œil jusqu'à n'être plus qu'une toute petite fille, la petite fille que j'avais été des années et des années avant que mes parents ne deviennent ce qu'ils sont devenus.

« Ils s'aimaient encore, à cette époque, et nous formions toujours une parfaite petite famille unie. Je nous voyais faire des tas de choses ensemble : aller à Disney World, à la plage, au restaurant. J'étais juchée sur les épaules de mon père et il me faisait sauter en marchant. Je les entendais rire, un rire ensoleillé qui m'enveloppait comme un cocon douillet et protecteur.

« Les baisers voletaient, tels des papillons se posant de fleur en fleur. Comme je me sentais bien ! Quel merveilleux sentiment de sécurité ! C'était le temps de ma grosse bulle magique. Que cela faisait donc du bien d'y retourner ! C'était comme si tout ce qui s'était passé, après, n'avait été qu'un affreux cauchemar, un long, très long et très très mauvais rêve. Enfin, je me réveillais et, tout de suite, mes premières pensées étaient pour mes parents. Je les appelais. Je me voyais les appeler. Je voyais ma bouche s'ouvrir et se fermer. Pourtant, je ne parvenais pas à entendre le son de ma voix. Ils devaient cependant m'avoir entendue puisqu'ils se tenaient debout, tous les deux, près de mon lit. Ils me serraient très fort et me noyaient sous des torrents d'amour et de douces promesses. Je nageais dans le bonheur.

« C'est alors que j'ai entendu les cris : "Appelle Police Secours ! Appelle Police Secours !" hurlait ma mère.

« *Pourquoi ?* me demandais-je.

Y aurait-il des services d'urgence contre les cauchemars ?

« Je sentais toute cette agitation autour de moi. Quelque part, sur ma droite, j'entendis une sirène. C'est alors que je perçus ce battement sourd et puissant qui se rapprochait, se rapprochait, de plus en plus fort, avant de réaliser que c'était mon propre cœur.

« Enfin, je reconnus le grincement métallique de l'énorme couvercle d'acier qui s'ouvrait. D'abord, un petit rai, tout au fond, puis le pinceau s'élargit et la lumière se fit de plus en plus vive jusqu'à ce que le couvercle fût presque complètement ouvert.

« Alors la lumière diminua et je pus commencer à discerner des silhouettes qui se profilaient au-delà. Le brouillard ténébreux qui les enveloppait se leva peu à peu et je parvins à distinguer leur visage. C'étaient mes parents. La bouche de ma mère remuait, mais je ne l'entendais pas. Cependant, je perçus bientôt un son étouffé et lointain qui s'amplifiait progressivement, devenait de plus en plus net jusqu'à ce que je comprisse qu'elle m'appelait.

« Mon père se rapprocha d'elle et se mit à crier mon nom, lui aussi. Je les regardais, incrédule.

« *Comment ont-ils pu vieillir si vite ?* me disais-je.

« *Où suis-je ?*

« La pièce dans laquelle je me trouvais ne m'était pas familière. Où était donc passée ma chambre ? Où étaient mes poupées, mes peluches, mon coffre à jouets ? Qu'était devenue ma grosse bulle ?

« Je voulais me rendormir. Je voulais retourner là-bas. Mais ils faisaient tout pour m'en empêcher : ils me secouaient sans ménagement, répétant inlassablement mon nom, jusqu'à ce que je réussisse à garder les yeux ouverts.

« "Je suis où, maman ?" bredouillai-je.

C'est alors que je vis de grosses larmes rouler sur ses joues. Ma mère ? Pleurer ? Mais ma mère ne pleurait jamais ! Que se passait-il donc ? Je tournai un regard interrogateur vers mon père. Il avait les yeux brillants, lui aussi.

« "Tu es à l'hôpital, Jade, m'annonça ma mère. Mais ne t'inquiète pas, tu seras bientôt guérie. Tout ira bien, tu vas voir.

« – C'est vrai, mon bébé, renchérit mon père. Tout va s'arranger.

– Ah bon, fis-je. On va à la plage, aujourd'hui, alors ?

« – Oui, me répondit mon père, en riant. Nous irons à la plage aujourd'hui."

« Ma mère sourit à travers ses larmes et repoussa une mèche sur mon front moite.

« Un homme en blouse blanche apparut soudain à leur côté. Il leur dit quelque chose, mais il parlait trop bas pour que je pusse l'entendre. Ils hochèrent la tête en chœur, puis se penchèrent l'un après l'autre pour m'embrasser. C'est sans doute ce qui a achevé de me persuader que j'avais toujours cinq ans, je suppose. Il faut dire aussi que je me suis raccrochée à cette idée aussi longtemps que je l'ai pu, ajoutai-je en me tournant vers le Dr Marlowe.

Elle acquiesça en silence.

– Mes parents se dirigèrent alors vers la porte et j'aurais juré — j'en mettrais presque ma main au feu, encore aujourd'hui — qu'ils se tenaient la main. Mais peut-être était-ce seulement ce que je voulais voir, conclus-je tristement.

Je baissai les yeux et contemplai longuement le sol sans le voir. Puis je poussai un soupir à fendre l'âme et me redressai.

– C'est peu de temps après ces événements que je suis venue consulter le Dr Marlowe.

Je pris une profonde inspiration, puis me tournai vers la fenêtre, le regard lointain. Personne ne parlait. Il régnait, soudain, un tel silence que nous pûmes entendre le bruit d'une canalisation, quelque part, sur la droite.

– Et qu'est-ce qui s'est passé, après, avec le juge et tout ça ? s'enquit finalement Star.

– Oh ! l'affaire n'est pas encore bouclée, il s'en faut de beaucoup, lui répondis-je. Mais il semblerait que mes parents soient prêts à transiger et à accepter la garde conjointe. Mon père parle de se faire construire une nouvelle maison. Il paraît même de plus en plus enthousiasmé par cette idée. Il m'a montré les plans et m'a même indiqué l'emplacement de ma chambre, me demandant de lui suggérer tous les aménagements que je souhaiterais voir apportés à son projet.

« Ma mère parle d'un congé sabbatique. Mais je ne m'emballe pas : hier encore, elle disait que la direction de sa société songeait à lui proposer une augmentation substantielle pour l'empêcher de partir, ne serait-ce que provisoirement.

« Je dois tout de même reconnaître que les choses ont changé, à la maison. En ma présence, on dirait que mes parents marchent sur des œufs. Ils ne se disputent jamais et ne discutent même plus de leurs problèmes devant moi. En fait, ce serait plutôt le contraire : ils se montreraient presque trop polis l'un envers l'autre. La guerre des nerfs touche à sa fin.

« On ne parle plus que de reconstruire, de réparer, de s'amender et d'oublier tout cela. Notre réalité a été bouleversée ; nous devons vivre avec cette nouvelle donne et apprendre à nous y adapter, dis-je, répétant bêtement l'une des platitudes que l'on m'avait servies.

« J'ai l'impression que toute ma vie, jusqu'alors, n'était qu'une histoire écrite à la craie, une histoire que quelques avocats, sociologues, thérapeutes — oui, oui, même des thérapeutes —, passant par là, ont contribué à effacer pour commencer à en écrire une autre, avec de nouveaux mots. Parfois, je me dis que je devrais changer de nom, repartir de zéro, naître une seconde fois.

– Tu as un très joli nom, protesta doucement Misty.

Je la remerciai d'un sourire. Elle se pencha alors pour me prendre la main et l'étreignit quelques instants sans souffler mot :

– Bien, intervint soudain le Dr Marlowe. Je ne sais pas ce qu'il en est de vous, mesdemoiselles, mais, quant à moi, cela suffira pour aujourd'hui. Et puis, vous avez entendu Emma, tout à l'heure : elle m'a pratiquement ordonné de vous libérer de bonne heure pour que vous puissez profiter de ce beau soleil.

Je hochai la tête. Les filles n'avaient plus d'yeux que pour moi. Elles me dévisageaient toutes en silence et je commençais à trouver la situation embarrassante. Et puis Misty m'a souri ; Star en a fait autant ; Cat s'est empressée de les imiter et j'ai éclaté d'un grand rire libérateur.

– Désolée, je crois que j'ai été plus bavarde que je ne m'y attendais, soupirai-je.

– Non, non, ça allait, m'assura Star.

– Oui, renchérit Misty. C'est bien que tu aies dit tout ce que tu avais à dire et je suis contente que tu nous l'aies dit à nous.

– Moi aussi, souffla Cat.

Nous nous levâmes avec un bel ensemble et le Dr Marlowe nous accompagna jusqu'à la porte d'entrée. Ma limousine et son chauffeur étaient déjà là, de même que la grand-mère de Star et la mère de Cat. Misty dut appeler un taxi et nous nous proposâmes de l'attendre avec elle.

– Mais non, ce n'est pas la peine, nous affirma-t-elle. Ce ne sera pas long. Et puis j'ai l'habitude : je passe mon temps à attendre un taxi, en ce moment.

– Tu m'en diras tant ! compatit Star, avant de se tourner vers Cat. Tu reviens, demain ? lui lança-t-elle, d'un air dégagé.

Les pupilles dilatées par la peur, les yeux de Cat s'arrêtèrent successivement sur chacune de nous.

– Oui, murmura-t-elle.

– T'as intérêt, lui rétorqua Star, sinon, on vient te chercher.

– Mais arrête de la persécuter ! la tança Misty. Elle va venir. Tu as envie de revenir, n'est-ce pas, Cat ?

Cathy sourit de s'entendre appeler Cat et hocha la tête. Mais, comme elle se tournait vers sa mère, son sourire s'évanouit aussitôt.

– Ce n'est pas facile, lui dis-je, mais cela fait vraiment du bien, tu verras.

– Oui, merci, au revoir, balbutia-t-elle d'une toute petite voix, avant de se précipiter vers la Ford Taurus dont le moteur s'était brusquement mis à rugir.

Nous la suivîmes des yeux tandis qu'elle prenait place à bord de la voiture qui, bientôt, s'éloigna. Sa mère ne nous avait pas jeté un regard.

– Bon, je ferais mieux de me grouiller, sinon mamie va encore m'attraper, déclara Star.

– Je suppose que c'est Rodney qui nous dévore des yeux, à l'arrière, lui demandai-je.

– Oui, oui, c'est lui, me répondit-elle en riant.

– Il a l'air drôlement mignon, s'exclama Misty.

– Ne te laisse pas avoir, l'avertit Star. Mignon comme ça, c'est cinq minutes par jour, et encore ! Tu as intérêt à ne pas les rater !

Misty s'esclaffa en même temps que moi.

– À demain, les copines ! nous lança-t-elle en se dirigeant d'un pas alerte vers la vieille guimbarde de sa grand-mère. Mais qu'est-ce que tu as à les reluquer comme ça ? l'entendîmes-nous dire à son petit frère. C'est juste des filles. Allez, rentre ta tête, lui ordonna-t-elle en montant à l'avant. Et ferme-moi donc cette bouche ! On y ferait entrer le train fantôme !

Au moment où la voiture démarrait, elle nous sourit en nous faisant un signe de la main.

Misty m'accompagna jusqu'à la limousine. Le chauffeur sortit pour m'ouvrir la portière.

– Il fait super beau. Qu'est-ce que tu vas faire cet aprèm' ? me demanda-t-elle.

– Je ne sais pas. J'ai quelques magazines à lire. Je crois que je vais juste parfaire mon bronzage au bord de la piscine ou peut-être me vernir les ongles. Et toi ?

Elle haussa les épaules.

– Rien.

– Donne-moi ton numéro de téléphone. Je t'appellerai un peu plus tard.

– C'est vrai ?

Elle s'exécuta aussitôt. Je montai dans la limousine et baissai la vitre.

– Ce qui t'arrive, en réalité, ce qui te fait le plus de mal, lui dis-je, c'est que tu ne crois plus en rien. Tu te dis que, si eux tombent dans le désamour, si les deux personnes que tu aimes le plus, ces deux êtres parfaits que tu as placés sur un piédestal, que tu adores et en qui tu as le plus confiance, finissent par ne plus s'aimer, alors comment pourrais-tu vivre quelque chose de beau avec quelqu'un d'autre ? Tu comprends ?

– Oh oui ! approuva-t-elle avec conviction. C'est exactement ça.

Je me penchai pour lui prendre la main.

– Mais peut-être que nous sommes plus fortes qu'eux, hasarda-t-elle. Peut-être que nous n'avons hérité que de leur bon côté. Peut-être même que nous sommes devenues encore meilleures qu'eux.

– Peut-être.

Elle me lâcha et recula d'un pas comme je me calais contre la banquette. La limousine démarra.

Sa main dans la mienne m'avait fait l'effet d'une ficelle retenant un ballon, un gros ballon gonflé d'espoir. Tandis que la voiture s'éloignait, dans mon imagination, le ballon s'élevait. Nos quatre visages s'y dessinaient peu à peu et nous dérivions avec lui au gré du vent.

Un vent qui nous poussait vers un ailleurs meilleur, peut-être.

Qui sait ?

Aubin Imprimeur
LIGUGÉ, POITIERS

Achevé d'imprimer en janvier 2004
pour le compte de France Loisirs
123, bd de Grenelle, 75015 Paris
N° d'édition 39799 / N° d'impression L 66231
Dépôt légal, novembre 2003
Imprimé en France